我笔下的马小跳是一个真正的孩子，我想通过这个真正的孩子，呈现出一个完整的童心世界。

杨红樱 *Yanghongying* 语录

大自然是孩子最好的课堂。

我一直认为"快乐"是一种能力，是一个人可以面对一切的能力。我笔下的孩子跟现实中的孩子一样，也有成长的烦恼，也有不被成人理解的委屈，还有种种的无奈，但是他们有能力让自己快乐起来，这就很了不起。成长过程的最佳状态是快乐。

中国原创品牌童书　传奇经典畅销十年

淘气包马小跳

典藏版
DIANCANGBAN

暑假奇遇

杨红樱⊙著

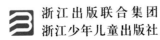

浙江出版联合集团
浙江少年儿童出版社

宝贝儿妈妈

马天笑

夏林果

丁克舅舅

唐飞

小非洲

杜真子

秦老师

马小跳

林老师

轰隆隆老师

女校长

路曼曼

安琪儿

张达

毛超

牛皮

丁文涛

这是一个慈眉善目的老太太，家住风景优美的山区，家里养着爱管闲事的狗、谈恋爱的猫、看门的鹅、会说话的鹩哥，还有一头有理想的猪。它们都是奶奶的宝贝儿。而奶奶最心爱的宝贝儿是马小跳，马小跳几乎每个暑假都是在奶奶家度过的。

本集明星人物

小非洲

这是马小跳在奶奶家过暑假时的小伙伴，他跟马小跳同年，山上的太阳把他的皮肤晒得黢黑，人称"小非洲"。马小跳会玩，小非洲比城里的孩子更会玩，他们在糊涂爷的肚皮上画鬼脸，吓退了到田里偷玉米的猴子；给鹅的两只脚穿上两只溜冰鞋，给那头有理想的猪套上板车……

目录

Mulu

淘气包马小跳

TAOQIBAO ... OTIAO

系列 典藏版

暑假奇遇
SHUJIAQIYU

奶奶家的猪呀狗呀猫呀

马小跳还是在五岁那年回过他奶奶的家。

那时的记忆已变得很模糊。马小跳只记得下了车还要走很长很长的山路，走着走着，他就睡着了，也不知是他的爸爸，还是来接他们的三表叔，把他背到奶奶家的。

奶奶家在山脚下。天一黑，奶奶就要关上院门，她说山上有许多野兽，夜里会下山来叼小孩吃。

马小跳一直以为他奶奶是吓唬他的，他从来没有看

见过有什么野兽从山上下来。

几年过去了，那里还真成了野生动物保护区。现在的人啊，都喜欢跟动物交朋友。于是，这野生动物保护区就成了风景旅游区，城里的人没事就往山上跑，如果能跟山上的猴子合影，那肯定是一件值得炫耀的事情。

马小跳要到他奶奶家去过一个暑假。

现在去不用再爬山路。马天笑先生开着汽车，一直开到奶奶的家门口。

汽车刚停下来，就有一只老白鹅摇摇摆摆地走过来，对着汽车嘎嘎地叫。

马小跳和马天笑先生从汽车里出来，就听见不知是谁在高声叫唤："贵客驾到！贵客驾到！"

爷爷和奶奶赶忙迎出来。

"什么贵客呀！"奶奶一手拉着马天笑先生，一手拉着马小跳，"这是我的儿子，这是我的孙子。"

马小跳不知奶奶在跟谁讲话，见她的眼睛是朝上看的，他也朝上看。原来，屋檐上挂着一只鸟笼，鸟笼里有一只褐色的黄嘴鸟，奶奶说："它叫鹩哥，见人说人

话，说得比鹦鹉还好呢！"

"谢谢夸奖！谢谢夸奖！"

鹩哥在笼子里不停地向奶奶点头。

他们都往院子里走，老白鹅摇摇摆摆地跟在后面。

"去！"爷爷拍了拍老白鹅的脑袋，"你不去看门，跟进来干什么？"

马小跳觉得很奇怪：奶奶家不是有条大黄狗吗？怎么狗不去看门，倒叫鹅去看门？

"奶奶，咱们家的大黄狗呢？"

"大黄狗在睡觉。昨天夜里，它辛苦了，捉了好几只大老鼠呢！"

狗捉老鼠，真是多管闲事！狗把猫的事都干了，那猫又干什么呢？马小跳记得，奶奶家还养着一只大黑猫。

"奶奶，那……那只大黑猫呢？"

"你问大黑猫呀？唉，说起它我就伤心。"

奶奶真的抹起眼泪来。

"它死了吗？"

"它死了，我还没有这么伤心。"奶奶又重重地叹了一口气，"它上树了。"

"猫上树有什么好伤心的？猫就喜欢上树玩。"

"它在树上不下来，风吹雨淋的，已经有三个月了。"

"三个月不下树，那还不被饿死？"

"我们每天给它送饭，一天三顿，一顿也不少。"爷爷看看墙上的挂钟，"再过一小时，就到送饭的时间了。"

马天笑先生坐着说了一会儿话，就开车走了，他还要上班呢！这次他是专门把马小跳送到爷爷奶奶家过暑假的。

马小跳要跟着爷爷去给大黑猫送饭。

爷爷把一碗猪肝拌饭放进篮子里，篮子里还有一根

很长的绳子。

那棵树离奶奶家不远，几分钟就走到了。

马小跳看见了大黑猫，它趴在树杈上，眼睛死死地盯住一个地方，脸上的表情十分忧伤。

"大黑猫，快下来吃饭！"

"它才不会下来吃呢！得给它送上去。"

马小跳一看那树很高，难道爷爷要爬上去吗？

只见爷爷把篮子里的那根长绳子拿出来，一头系在篮子的提把上，一头挽成团儿，向树上一扔，绳子就挂在了大黑猫身旁的树枝上。

爷爷一拉绳子，篮子就升起来了，升到大黑猫的身边，大黑猫轻轻跳进篮子里。

过了一会儿，大黑猫从篮子里跳出来，跳到它刚才趴的树杈上，眼睛又死死盯住它刚才盯住的地方，脸上的表情比刚才还忧伤。

"爷爷，大黑猫怎么会这样？"

爷爷指着那棵树正对着的一个院落："大黑猫喜欢这家里的一只大白猫，可是大白猫的主人不喜欢它，就把

大白猫拴在家里，不准它出来。大黑猫想念大白猫，就爬到这棵树上来，天天在上面看着大白猫。"

"难道那只大白猫永远被拴在家里，大黑猫就永远不下树吗？"

"我们什么办法都想了，对它都不管用。"爷爷说，"有一次，大雨下了一天一夜，大黑猫在树上冻得直打哆嗦，可它就是不下来。"

这猫好有脾气！马小跳也有脾气，他就不相信他没有办法让大黑猫从树上下来。

"我们快回去吧！"爷爷催促道，"黑旋风也该回家吃饭了。"

"黑旋风是谁？"

"是一头猪。"

"为什么叫黑旋风？"

"因为它是一头黑猪，跑起来像风一样快，所以叫它黑旋风。"

这就怪了，猪会跑得像风一样快？马小跳恨不得马上就回家去见见这头非凡的猪。

"它不在家里，到外面野去了。"

"那我们去找它吧！"

"找不到它的。它从来不让人知道它在什么地方。"

"那怎么办？"

爷爷哈哈一笑："我有的是办法。"

回到家里，爷爷拿出一把小号来，站在院子门口，滴滴答答地吹起来。

吹了好一会儿，也不见有什么黑猪跑回来。

"回家等着吧，它会回来的。"

马小跳刚回到屋里，就看见站在院子门口的老白鹅，扑扇着翅膀，弯着脖子，把脑袋藏在翅膀里。

"黑旋风回来了！"奶奶笑眯眯地说，"每次黑旋风回来，老白鹅都会这样。"

真的像一股黑旋风旋进门来，黑猪回来了！

马小跳走近了去看那头黑猪，黑猪的肚子很小，眼睛很大。马小跳还发现，在这头猪身上，最与众不同的是它的两只耳朵。别的猪耳朵都是耷拉下来的，可这头猪的耳朵却是竖着的。

马小跳去按它的耳朵。按下去，它又竖起来。再按下去，它再竖起来。

奇了怪了，爷爷奶奶家养的动物，怎么都是奇奇怪怪的？

痴情的大黑猫

马小跳跟着爷爷去给树上的大黑猫送过一次饭，从那以后，大黑猫的每顿饭就都由马小跳送了。

马小跳争着给大黑猫送饭，是因为他相信他有办法把大黑猫从树上弄下来，把它带回家。

马小跳还学会了做猫饭，把卤得香喷喷的猪肝切得碎碎的，拌在饭里，然后装进篮子里，提着给大黑猫送去。

来到那棵高高的树下，马小跳学着他爷爷的样子，

把系在篮子上的长绳在手上挽成团儿，然后用力向树上扔去。长绳挂在大黑猫身旁的树杈上，马小跳拉住长绳的另一头，篮子便升起来了。

装着猫饭的篮子，升到大黑猫的身边。大黑猫一闻到饭香味，就跳进篮子里去了。

马小跳把拉紧的长绳猛地一松，哗啦啦，篮子降下来了。

眼看着快落地了，没想到篮子里的大黑猫纵身一跳，从篮子里跳到树干上，飞快地爬到它刚才待的地方。

"喵——"

大黑猫愤怒地高叫一声。

马小跳再把装着猫饭的篮子给大黑猫送上去，大黑猫把头扭向一边，梗着脖子，它不上当了。

"不吃拉倒！"马小跳把装着猫饭的篮子从树上放下来，"饿你一顿，看你吃不吃。"

马小跳提着大黑猫没有吃的猫饭，回到奶奶家。屋梁上的鹩哥欢叫道："跳跳娃回来啦！跳跳娃回来啦！"

　　"跳跳娃"是马小跳的小名，爷爷奶奶都这么叫他，鹦哥也这么叫他。

　　奶奶一看篮子里的猫饭，就知道大黑猫没吃。

　　"大黑猫为什么不吃饭？"奶奶问马小跳，"跳跳娃，你是不是惹大黑猫生气了？"

　　"它这一顿不吃，下一顿总是要吃的。"

　　奶奶急了："哎哟，跳跳娃，你不知道这大黑猫的脾气，比牛还倔呢！"

　　大黑猫真的像奶奶说的那样，脾气比牛还倔。马小跳接着给它送了几顿饭，它都不肯吃。

　　两天过去了，大黑猫什么都没吃，有气无力地趴在树杈上，看样子快不行了。

　　"大黑猫，我求求你，你吃一点儿吧！"

　　大黑猫干脆闭上眼睛，假装没听见。

　　"大黑猫，你再不吃饭，你会饿死的。"

　　大黑猫睁开眼睛，但它还是梗着脖子，坚决不上马小跳的当。

　　"我去给你钓条鱼来，看你吃不吃？！"

马小跳回家拿了爷爷的钓鱼竿，然后跑到菜地里，挖开土，找了几条蚯蚓做鱼饵，在水塘边钓了没一会儿，就钓到了一条小鱼。

马小跳把这条活蹦乱跳的小鱼，飞快地给大黑猫送去。

"大黑猫，我给你送鱼来了！"

大黑猫耷拉着脑袋，一点儿反应都没有。

马小跳用绳子把小鱼吊上去。小鱼就在大黑猫的脸边蹦跳着，可大黑猫就是理都不理。

"大黑猫！大黑猫！"

马小跳以为大黑猫死了，在树下拼命地大叫。

就在这时，从那棵树正对着的院子里跑出来一个男孩子，他看起来和马小跳差不多大。

"死啦？真死啦？"

男孩子像是在问马小跳，又像是在自言自语。

马小跳哭了："是我把大黑猫饿死的。"

"不是你饿死的，是它自己想我们家的大白猫想死的。"

一听这话，马小跳才打量起这个男孩子来。他的眼睛又大又圆，两只招风耳朵，脸特别黑，牙齿特别白。不知道是因为脸黑，把牙齿衬托得特别白，还是因为牙齿白，把脸衬托得特别黑，反正活像一个非洲小黑人，村子里的人都叫他"小非洲"。

他向马小跳自我介绍："我叫小非洲……"

这两天，小非洲看见马小跳给大黑猫送饭，早就想认识这个城里来的男孩子了，但他爸爸妈妈不准，因为马小跳是大黑猫家的人。

马小跳突然感到很害怕：如果大黑猫真的死了，爷爷奶奶一定会很伤心的。

"小非洲，我不想让大黑猫死。"

"也许它还没有死。"

小非洲弯腰拾起一块小石子，向树上的大黑猫扔去。小石子正扔在大黑猫的身上，可大黑猫一点儿反应都没有。

"它真死了。"

马小跳哇的一声哭了。

"你先别哭！"小非洲说，"也许它不是真死，是装死。"

马小跳马上不哭了："小非洲，你刚才说我们家的大黑猫是想你们家的大白猫想死的，你现在就去把你们家的大白猫抱出来。"

"我不敢，我爸爸妈妈不准。"

"你不要让他们看见，偷偷地抱出来呀！"

小非洲十分为难地说："我试一试吧！"

过了一会儿，小非洲真的把大白猫抱出来了。

大白猫看见了树上的大黑猫，它也以为大黑猫死了，大放悲声。

"喵——喵——喵——"

树上的大黑猫动了一下。

"小非洲，快把猫抱回来！"

小非洲的爸爸比小非洲还黑，样子像个凶神，小非洲不得不把猫抱回去。

村子里的人都摇头叹息，都说像大黑猫这样有情有义的猫，真是少见。好像他们都知道大黑猫和大白猫的故事。

"啊，大黑猫没有死！"

"喵——喵——喵——"

大白猫的哀号一声比一声凄惨，引来了好多人。马小跳的爷爷奶奶来了，小非洲的爸爸妈妈也出来了。

大黑猫和大白猫，这两只猫到底有什么故事呢？

大黑猫和大白猫的爱情故事

　　大黑猫和大白猫到底有什么故事，马小跳去问他的爷爷奶奶，可他们都不告诉他，只说："小孩子家，给你讲了，你也不懂。"

　　他们越不讲，马小跳越想知道。

　　马小跳带着一盒巧克力，去找小非洲。其实是大人们不懂小孩子，他们以为小孩子什么都不懂，其实小孩子什么都懂。

　　"小非洲，我们家的大黑猫和你们家的大白猫是不

是在谈恋爱？"

　　小非洲只顾吃巧克力，把雪白的牙齿都吃成了巧克力色，马小跳在说什么，他根本没听见。

　　"小非洲，我在问你呢!"

　　"好吃，真好吃!"

　　小非洲嘴上吃着巧克力，心里想的也是巧克力。

　　"我在问你大黑猫和大白猫的事呢!"

　　小非洲伸出舌头，在嘴边舔了一圈，把粘在嘴边的巧克力都舔进去，然后才说道："你们家的大黑猫，喜欢

我们家的大白猫；我们家的大白猫，也喜欢你们家的大黑猫。但是，我爸爸妈妈不同意。"

"为什么不同意？大黑猫和大白猫的事，跟你爸爸妈妈有什么相干？"

"怎么没有相干？"小非洲翻着白眼，他的眼睛白多黑少，"你也不想想这件事情的后果。"

"什么后果？"

小非洲向马小跳伸手，他还要吃一块巧克力。如果不给，他就不讲。

马小跳只好再给小非洲一块巧克力，小非洲这才开始讲事情的后果。

"事情的后果嘛，就是如果让大黑猫和大白猫好了，大白猫就会生下一群黑不黑、白不白的小杂种来。"

马小跳不明白，就算大白猫生下一群黑不黑、白不白的小猫来，也没什么错呀！母猫总是要生小猫的。

小非洲说："我爸爸妈妈说了，纯种的白猫值钱，黑不黑、白不白的杂种猫不值钱。所以，他们不准你们家的大黑猫喜欢我们家的大白猫，也不准我们家的大白猫

喜欢你们家的大黑猫。他们就把大白猫拴起来了，大黑猫只好爬到那棵树上，在树上才能看见我们家的大白猫。"

这就是大黑猫和大白猫的故事。应该是个爱情故事吧？大黑猫为了日夜守望着大白猫，死也不肯从树上下来，所以马小跳的爷爷奶奶才那么迁就它，每天都给它送饭。

马小跳又给了小非洲一块巧克力："小非洲，你愿不愿意和我一起来帮助大黑猫和大白猫？"

"你说，怎么个帮助法？"

马小跳说："首先，我们要一起来对付你的爸爸妈妈。"

"我爸爸挺凶的。"

"我不怕，你也不要怕。"马小跳和小非洲像两个即将奔赴战场的战友，他拍着小非洲的肩膀，学了一句电影里的台词，"我们的战争是正义的战争。"

马小跳让小非洲把他的招风耳朵伸过来，如此这般，把他的计划说了。小非洲开始不同意，后来马小跳

就要他还巧克力。吃进肚子里的东西怎么还得出来？小非洲只好同意了。

马小跳回到奶奶家，从床底下拉出他带来的那个有轮子的箱子，里面装的全是他爱吃的东西：鲜果水晶果冻，杏仁巧克力饼，棒棒娃牛肉粒，奶油味、柠檬味的米果，草莓味、橙子味、菠萝味的酸酸糖，还有各种各样的蛋黄派……这些东西在城里不稀罕，在这山里就稀罕了。

马小跳把这些东西通通装进一个大提袋里，提着来

到小非洲的家。

马小跳什么话都不说，把提袋里的东西一样一样拿出来，花花绿绿地堆了一桌子。

"哇，这么多好吃的东西！"

小非洲扑过来，他爸爸一把拉住他。小非洲大哭："我要吃，我要吃嘛！"

小非洲的爸爸不理小非洲，却问马小跳："你无缘无故地送我们家东西，是什么意思？"

"我想求你救救我们家的大黑猫，它在树上快死了。"

"我又不是猫医生，我怎么救它？"

"你只要把你们家的大白猫放了，让它把大黑猫引下树来，大黑猫不就得救了吗？"

"你这小孩真是一派胡言，走走走！"

小非洲的爸爸把桌子上的一堆东西，重新放回提袋里，塞到马小跳手上，轰他走。

小非洲大哭，不过他是只打雷，不下雨，眼睛里没有一滴眼泪。哭着哭着，还在地上打起滚来。

马小跳一走出小非洲他们家，就笑起来："小非洲真会演戏，长大了可以去当演员！"

吃晚饭的时候，小非洲的妈妈找上门来了。她朝马小跳招招手，马小跳就跟她出去了。

"我们家小非洲绝食了，午饭和晚饭都没吃。"

马小跳学着小非洲爸爸的口气说："你们家的小非洲绝食了，找我做什么？我又不是医生。"

"中午那会儿，你不是给我们家送去了好多东西吗？"

"是啊，可你们不要，还把我轰出来了。"

"对不起，对不起，都是我们的错。"小非洲的妈妈赔着笑脸，"我们家小非洲嘴馋，你送来的那些东西呀，他都没吃过。他说了如果我们要不来你的这些东西，他就一辈子不吃饭！"

小非洲的戏演得真不错！马小跳心里暗暗高兴：加油，胜利在望！

马小跳喜在心里，但跟小非洲的妈妈说话时，却还故意拿腔拿调："可我的东西也不能白送呀！"

小非洲的妈妈摸出一卷钞票："我买！我买！"

"我的东西是不卖的。"马小跳说，"我只要你们把大白猫放了，让它把树上的大黑猫引下来就可以了。"

是大白猫重要，还是小非洲重要？当然是小非洲重要，因为小非洲是妈妈生的呀！

当天晚上，小非洲的爸爸妈妈就把大白猫放了。

大白猫上了树。树上的大黑猫，已经奄奄一息。

长鱼的树

　　大白猫上了树就不再下来，它趴在大黑猫的身边，一声接一声地哀叫着。

　　大黑猫时不时会抬一下头，但很快头又耷拉下去，它连抬头的力气也没有了。

　　"大黑猫是饿的。"小非洲说，"跳跳娃，我们去给大黑猫弄些鱼来。"

　　"天都黑了，到哪里去弄鱼？"

　　"我们家有个鱼塘，你等着，我回家去拿点儿

东西。"

小非洲猫着腰，钻进他们家的院子。

过了一会儿，小非洲出来了，一只手抱着一大堆东西，另一只手提着一个铁罐子。

"这是渔网。"小非洲又让马小跳看铁罐子里面的东西，"这是鱼食。"

马小跳说："这么晚了，鱼都睡觉了，还会来吃你的鱼食吗？"

"鱼睡觉也不闭眼睛的，它看见有鱼食撒下来，就会游过来吃。"

说着话，他们已来到了小非洲家的鱼塘。这个鱼塘不大，平静得像一面镜子，映着天上一个弯弯的月亮。

小非洲把渔网放下去，接着又朝渔网上方的水面撒鱼食。

平静的水面一下子热闹起来。月光下，能隐隐约约地看见水中的鱼，都向着小非洲和马小跳游过来。

"拉网！"

小非洲把网拉起来。马小跳一看里面的鱼，都是些

不到半尺长的小鱼。

小非洲告诉马小跳，这鱼塘是新挖的，所以只有小鱼，没有大鱼。

他们这一网网了十几条活蹦乱跳的小鱼。小非洲和马小跳把渔网吊上树，想用鲜鱼的腥味把大黑猫和大白猫引诱下来。

大黑猫的警惕性很高，它上过一次当，不会再上第二次当。

马小跳很着急:"怎么办? 大黑猫再不吃东西,它会被饿死的。"

"大黑猫上过人的当,所以有人在这里,它宁愿饿死,也不会吃东西。没有人在这里,它就会吃的。"

小非洲说得有道理。马小跳突发奇想:"我们把鱼一条一条地挂在树上,大黑猫肯定会吃的。"

要把小鱼一条一条地挂在树上,就必须爬上树去。小非洲会爬树,马小跳虽然没爬过树,但他在学校里爬过杆,那应该跟爬树差不多。

看小非洲像猴子一样爬上了树,马小跳也跟着爬了上去。

树上的大白猫以为他们要去捉它们,叫了一声,居然背起大黑猫,在树上和他们捉起迷藏来。

趁这工夫马小跳和小非洲的十几条小鱼全部挂在树上的枝叶间,鱼鳞在月光下闪着银光。

"真好看!"马小跳站在树下,欣赏着他和小非洲的杰作,"鱼就像是从树叶里长出来的一样。"

"快走吧!"小非洲突然感到害怕,"如果让我爸爸

妈妈知道，这树上挂的鱼都是我家鱼塘里的，他们肯定饶不了我。"

小非洲和马小跳悄悄溜回各自的家，好像什么事都没有发生过。

第二天，村子里来了好多游客。

村里的人都奇怪：这些游客不去游山，跑到村子里来做什么？

几个戴棒球帽的女大学生，跑到村子里来，见人就问："劳驾问一下，这里有一棵长鱼的树，在什么地方？"

"长鱼的树？"村里的人觉得好笑，"鱼怎么会长在树上？"

"有人亲眼看见的，告诉我们，我们才来的。"

"没有。我们这里没有。"

女大学生们又问了好几个村里的人，他们都说这里没有长鱼的树。

女大学生们失望极了，这时候，她们遇见了马小跳。

"小弟弟，有一棵长鱼的树，你知道在什么地方

吗？"

"长鱼的树？"马小跳一听就明白了，"哦，我正要去那里，你们跟我走就是了。"

"噢！"

女大学生们欢呼起来。

马小跳还没有回过神来，她们已经在他的脸上印上了无数个吻。除了妈妈，马小跳从来没有被别的女性吻过。现在，几个漂亮的姐姐都来吻他，马小跳的脸变得火辣辣，像刷了一层红漆。

马小跳把女大学生们带到那棵"长鱼的树"下，她们都看呆了。

"我从来没有见过这么美丽的树。"

"这树怎么会长出鱼来呢？"

"看，还有两只猫呢！"

马小跳也看呆了：昨天还奄奄一息的大黑猫，现在是生龙活虎，跟大白猫在一起，快活地追逐着、嬉戏着。

"小弟弟，这树上为什么会有鱼？"

马小跳不能说这鱼是他和小非洲挂上去的，因为这话如果传到小非洲爸爸妈妈的耳朵里，他们知道自己家鱼塘的鱼还没长大，就被网起来挂到树上喂猫，这不等于害了小非洲吗？

马小跳避实就虚，他只能编故事来满足这些女大学生们的好奇心。他故作深沉状，说这是一个爱情故事。

"爱情故事？"

女大学生们一听说这里面有个爱情故事，每个人的眼睛都闪闪发光。

"这个爱情故事的男主角就是那只大黑猫，女主角就是那只大白猫。大黑猫喜欢大白猫，大白猫喜欢大黑猫，大白猫的主人不准大白猫喜欢大黑猫，把大白猫拴了起来。大黑猫就爬上这棵树，天天守望着大白猫。大黑猫在树上风吹雨淋，最后干脆不吃不喝，终于感动了大白猫的主人，他们放了大白猫，大白猫爬上这棵树，这棵树就成了大白猫和大黑猫的家。猫喜欢吃鱼，鱼就从树上长出来了。"

马小跳讲得像绕口令，女大学生们听得不是很明

白，但她们却感动得热泪盈眶。她们耳朵里听的是"大黑猫和大白猫的爱情故事"，心里想的却是外国的罗密欧与朱丽叶的爱情故事或中国的梁山伯与祝英台的爱情故事。

这几个女大学生都是大学中文系的，她们已经把罗密欧与朱丽叶、梁山伯与祝英台的爱情故事，演绎成大黑猫与大白猫的爱情故事，广为传播，一传十，十传百，游客们都不去游山了，都跑到村子里看那棵有一个美丽传说的"长鱼的树"。

一头有理想的猪

奶奶家的大黄狗奇怪，大黑猫奇怪，加起来就是奇奇怪怪。不过，马小跳觉得最奇怪的，还是奶奶家的那头猪，那头跑得比风还要快的黑猪——黑旋风。

每天早晨，马小跳都会听到一声巨响，那是黑旋风从猪圈里冲出来，撞开圈门的声音。接着，就会听见鹅哥惊慌失措的叫声："黑旋风出来啦！黑旋风出来啦！"

一早就站在门口守门的老白鹅，听见"黑旋风出来啦"，扑扑地扇着翅膀，赶紧躲到一边去，它怕黑旋风

冲过来，撞翻它。

"奶奶，黑旋风生下来就跑得这样快吗？"

"也不是。"奶奶说，"黑旋风生下来时跟别的小猪也没什么两样，只是后来，它不高兴整天被关在圈里吃呀睡呀，就慢慢养成了一早出去晚上才回来的习惯。"

"黑旋风出去一天，它会上哪儿呢？"

"不知道。"奶奶摇着头，"它跑得比风还快，一出门就没影了，由它去吧！"

马小跳可不甘心"由它去"，马小跳很想知道，这黑旋风一大早出去，天黑了才回来，它到底都到哪些地方去了？都干了些什么？

马小跳决定跟踪黑旋风。

第二天早晨，不等鹩哥叫"黑旋风出来啦"，马小跳就早早地守候在大院门口。

黑旋风冲出来了！

马小跳紧跟着黑旋风。可是，只跟了一段路，在过河的时候，马小跳要绕到桥上去，人家黑旋风身子一纵，轻轻松松就跳了过去。当然，这是一条小河，只有

两米宽。

马小跳追不上了，只好灰溜溜地往回走。在路上，他遇见了正骑自行车玩的小非洲。

当小非洲知道马小跳想跟踪黑旋风时，他就呵呵地笑起来。

"你想跟踪你们家的黑旋风？再给你加上两条腿，也休想。"

马小跳还是想不通："猪怎么可以跑得比马还快？"

"练出来的呗。"小非洲指着远处的一座山，"看见那座山了吗？看见那山上的盘山公路了吗？"

马小跳看见了，碧绿的青山上有条像白带子一样的盘山公路，一直盘到山顶上。

"每天早晨，你们家的黑旋风沿着这条盘山公路跑上山顶，又从山顶跑下来，差不多天就黑了。"

原来黑旋风的每一天就是这样度过的。

"我们家的黑旋风，一定是不甘心做一头吃了就睡、睡了又吃的猪，它是一头有理想的猪。小非洲，你说黑旋风的理想是什么？"

小非洲挠挠后脑勺，眯起一只眼："它是不是想当一匹马？"

"有可能，它想当一匹马。"马小跳说，"从现在起，我就把黑旋风当成一匹马，今天晚上它一回来，我们就把它当马来骑。"

每天太阳落山，就是黑旋风回家的时候。

"黑旋风回来啦！黑旋风回来啦！"

一听到鹦哥通风报信，马小跳和小非洲就把一桶早煮好的猪饲料抬了出来。

黑旋风虽然是一头不同寻常的猪，但它的吃相还是

猪的吃相，食量惊人，还发出很响的声音。

黑旋风一心一意地吃着，连小非洲在它背上安上马鞍，在它脖子上套上缰绳，它也浑然不知。

一切装备就绪，黑旋风也吃好了，一副心满意足的样子。

被套上缰绳的黑旋风不再狂野，乖乖地被小非洲牵着出了门。

小非洲翻身坐在黑旋风的背上。双手一拉缰绳，双腿一夹猪肚，嘴里叫一声："驾——"黑旋风就跑起来了。

黑旋风无师自通，跟马跑得一模一样。

小非洲骑了一圈回来，让马小跳骑。

"你别怕！"小非洲扶着马小跳骑在黑旋风的背上，"跟骑马一样。"

马小跳会骑马，他跟他爸爸去过几次"骑马俱乐部"，在那里学会了骑马。

"嘚儿——驾！"

马小跳一拉缰绳，一夹猪肚，黑旋风奔跑起来。

风在马小跳的耳边呼啸，一幢幢房子在他的眼前一闪而过。马小跳微微眯起双眼，沉迷在幻想中。他幻想着他不是骑着一头猪在村庄里跑，而是骑着一匹骏马，奔驰在辽阔的草原上。

"跳跳娃，你还骑不骑呀？"

不知不觉，黑旋风已跑了好几圈，在小非洲的身边停下来了。

马小跳又生出一个念头："小非洲，你说黑旋风能不能拉马车？"

"我们家可没有马车。"

"我奶奶家有一辆平板车，放在那里也没有用，我把它拖出来当马车用。"

说干就干。平板车就在奶奶家的后院里，马小跳和小非洲轻手轻脚地

把平板车拉出来，这平板车套在黑旋风的身上刚刚合适。

小非洲赶车，马小跳坐车。

"嘚儿——驾！"

黑旋风无师自通，它居然还真的会拉车，拉得又快又平稳。

"跳跳娃，我怀疑这黑旋风根本就不是猪。"

"不是猪是什么？"

"是猪妖，就是妖怪变的猪。"小非洲说，"猪都是蠢头蠢脑的，这黑旋风真是太聪明了！"

"猪本来就是世界上最聪明的动物嘛。"

"跳跳娃，你在蒙我吧？"小非洲不相信，"我听别人说，猴子才是世界上最聪明的动物。"

"不动脑筋，每天只知道吃、只知道睡的猪，当然不是世界上最聪明的动物。我是说像黑旋风这样的猪，我们想让它干什么，它就能干什么，你相不相信？"

马小跳已经想出了许多事情，准备让黑旋风干了。

滑板和溜冰鞋

马小跳坚信，猪是世界上最聪明的动物。特别是奶奶家的黑旋风，它是一头有理想的猪，它已经可以像马那样奔跑，像马那样拉车，它一定还可以做更多的事情。

滑板现在是城里的男孩子最时髦的运动。马小跳把滑板带到乡下来了，他今天要教小非洲和黑旋风学滑滑板。

马小跳先给他们表演了一次，小非洲说："这个容

易，跟溜冰差不多。"

马小跳就让他来试一试，结果小非洲刚一踩上滑板，就摔了一跤。

"我不玩这个了，还没有溜冰好玩。"

小非洲回家拿旱冰鞋去了。

"黑旋风，你来！"

马小跳向黑旋风招招手。刚才马小跳在教小非洲时，黑旋风一直十分安静地在旁边看着。

黑旋风过来了。马小跳把它的两只前蹄放在滑板上，还没教它怎么滑，黑旋风的两条后腿一蹬，滑板猛地向前滑去。

"黑旋风！"

马小跳大叫。

黑旋风根本停不下来，它的两条后腿拼命地向前蹬。

滑板的速度已经很快了，黑旋风这才把两只后蹄放在滑板上。

这黑旋风简直神了！骑马无师自通，拉车无师自

通，玩滑板也无师自通。

马小跳自愧不如，这头无师自通的猪，滑板玩了不到半小时，已经比他玩得还好了。

小非洲穿着旱冰鞋滑过来了。

马小跳说："小非洲，你还不如一头猪，人家黑旋风都会滑滑板了。"

"可是它不会溜旱冰。"

"只要给它穿上旱冰鞋，它肯定能溜。"

马小跳一心要挖掘黑旋风的潜力，他现在已经深信不疑：只要让黑旋风做，就没有黑旋风做不了的事情。

"小非洲，快看！"马小跳指着远处的一个小黑点，"黑旋风过来了！"

黑旋风站在滑板上，上坡下坡，左弯右拐，稳如泰山，有一种乘风破浪的气势。这样的滑技，在马小跳认识的人中，还从没有过。

黑旋风滑过来了。快到马小跳和小非洲的跟前，他们赶紧闪到一边，怕黑旋风冲过来撞翻他们。没料到人家黑旋风还知道减速，到他们跟前时，已经稳稳地停住

了。

　　"黑旋风，现在咱们不玩滑板了，咱们来玩溜旱冰。"

　　小非洲拉拉马小跳："溜旱冰是要穿旱冰鞋的呀！"

　　"你不是有吗？"马小跳指指小非洲脚上的旱冰鞋，"脱下来给黑旋风穿。"

　　"猪也能穿旱冰鞋？"小非洲说，"猪有四只脚，可我只有两只旱冰鞋。"

　　"我还有两只旱冰鞋，加上你的两只，不正好是四只吗？你和黑旋风在这里等着，我回家去拿。"

　　不一会儿，马小跳穿着他的两只旱冰鞋，溜来了。

　　马小跳和小非洲一起动手，给黑旋风的四只脚都穿上了旱冰鞋。

　　穿上旱冰鞋的黑旋风迫不及待地就想开始溜，吓得马小跳和小非洲赶紧闪到一边去。

　　黑旋风溜冰也无师自通。它先迈左前腿和右后腿，再迈右前腿和左后腿，一下两下，脚下的轮子便飞转起来。

"马小跳，我真的怀疑你们家的黑旋风不是猪，猪哪有这么聪明？"

小非洲昨晚就说过这样的话，他见黑旋风无师自通地像马那样跑，无师自通地像马那样拉车，他就怀疑黑旋风不是猪，是什么妖怪变的。

马小跳突发奇想："也许，不仅仅是猪，所有的动物都跟人一样聪明，甚至比人还聪明，只不过没有人去发现它们的聪明。小非洲，我们俩就来做这种'发现的人'，好不好？"

马小跳的话，小非洲不是全都能听明白。这个城里来的孩子，奇怪的念头层出不穷，而且很会玩，花样翻新地玩。小非洲天天看着黑旋风，他就从来没想到过把猪当马骑，让猪拉车，让猪滑滑板，更没有想到给猪穿上溜冰鞋……总之，小非洲喜欢跟马小跳在一起玩，他觉得马小跳很好玩而且很会玩。

马小跳要"发现"的第二个对象，是给奶奶家看门的老白鹅。谁都说不清楚它到底有多大年纪，也不记得它是从什么时候开始守门的，反正是自从不务正业、爱

管闲事的大黄狗不守门后，它就不声不响地开始守起门来。

马小跳先教老白鹅滑滑板。

老白鹅不像黑旋风那样无师自通，但它具有谦虚的美德，十分认真地看。看马小跳滑过去，又看他滑过来。

马小跳把老白鹅的一只脚放在滑板上。因为鹅的脚掌大，所以在滑板上还站得挺稳。

老白鹅开始滑了。它的腿脚有划水的基本功，一下一下，动作做得非常到位。

滑板滑起来了，老白鹅把它的另一只脚放在滑板上，速度虽然不像黑旋风滑得那么快、那么猛，但毕竟还是滑起来了。

"跳跳娃，我们

再给老白鹅穿上溜冰鞋，看它能不能溜冰?"

给老白鹅穿上溜冰鞋，老白鹅似乎还有点害怕，伸着翅膀，站在那里不敢动。

"溜起来吧，老白鹅!"

马小跳在老白鹅的背上一拍，溜冰鞋的轮子转动起来。很自然地，老白鹅左一下，右一下，它也会溜冰了!

虽然老白鹅没有黑旋风溜得那样快，可是它姿势优美，能溜出许多花样来。它伸长脖子，展开翅膀，身子一斜，还能溜出圈儿来。

"怎么样，小非洲?"马小跳很高兴老白鹅没有辜负他的期望，"动物是不是和人一样聪明?"

宝贝孙子和宝贝罐子

　　一转眼，马小跳到乡下奶奶家过暑假快两个星期了，他玩得如鱼得水，他的玩伴除了那个跟他一般大、黑得像非洲孩子似的小非洲以外，还有奶奶家那头无所不会的猪——黑旋风、爱管闲事的大黄狗和一本正经的老白鹅。

　　马小跳贪玩，经常会玩得忘记吃饭。奶奶家就会全体出动，到处去找马小跳。但最终能找到马小跳的，是大黄狗。它会死死咬住马小跳的衣角或裤角，拼命地把

马小跳往家里拽。

老白鹅看见马小跳回来了，会伸长脖子、拍着翅膀嘎嘎地叫。

鹩哥看见马小跳回来了，会把头从笼子里伸出来，大声说："跳跳娃，喝汤！跳跳娃，喝汤！"

这时候，大黄狗以功臣自居，摇着尾巴来到奶奶跟前请功，奶奶就会奖励它一块肉骨头。

"跳跳娃，奶奶今天给你煲的是排骨黄豆汤，快趁热喝吧！"

马小跳喝了一碗又一碗。

"奶奶，您煲的汤真好喝，比大饭店里的大厨师煲的汤还好喝！"

"奶奶哪有大厨师的手艺？！"奶奶眉开眼笑，捧着汤罐子，"奶奶煲的汤好喝，都是因为奶奶有这么一个宝贝罐子。"

听奶奶说，这个煲汤的罐子是奶奶的妈妈的妈妈传下来的传家宝，奶奶宝贝得不得了。

马小跳仔细看那个宝贝罐子，不过是个土不啦叽的

陶罐，也没什么特别的地方，怎么煲的汤就那么好喝呢？

马小跳的肚子已经鼓起来了，还没喝够。见罐子里还有一点点，双手捧起来，一口喝了个底朝天。

罐子边上有油，马小跳手一滑，罐子扣在了他的脑袋上。

"跳跳娃，你真淘气，快取下来！"

奶奶以为马小跳把汤罐子扣在脑袋上是为了好玩。

马小跳也想把罐子取下来，可这个罐子是紧口罐子，下巴挡在那里，进去容易出来可就难了。

"奶奶，取不下来。"

马小跳的声音在罐子里回荡，把他自己的耳朵都快震聋了，外面的人还是听不清楚。

奶奶也取不下来。这天，爷爷刚好不在家，奶奶急了，赶忙跑到门口大叫起来。

"来人哪！快来救救我的孙子！"

最先跑来的是小非洲，接着是几个大人。

看见马小跳头上套着汤罐子，并没有什么生命危

险，大家都松了一口气，又七嘴八舌地说开了。

"跳跳娃，你真是好玩啦！怎么玩起罐子来了？"

他们觉得好玩，马小跳却觉得一点都不好玩，罐子套在头上取不下来，闷在里面的滋味是挺难受的。

"怎么会取不下来呢？"小非洲的爸爸摩拳擦掌，"能进去，就能出来。"

这个道理谁都知道。但是，这个罐子套在马小跳的

头上，就是取不下来。

"我就不信取不下来！"

小非洲的爸爸抱住罐子，使劲往上提。他把马小跳整个人都提起来了，双脚都离了地，还是没把罐子取下来。

"奇怪了，能套进去，怎么就出不来呢？"

小非洲的爸爸也没辙了。

"我的宝贝孙子哟！我的宝贝罐子哟！"

奶奶一把鼻涕一把泪，也不知她在心疼她的孙子，还是在心疼她的罐子。

有人说："把罐子敲破，脑袋不就出来了嘛。"

"不行不行！"奶奶连连摆手，"那罐子是咱们家的传家宝，没有罐子，拿什么煲汤喝？"

别人就问奶奶："你是要孙子还是要罐子？"

奶奶说："孙子、罐子我都要。"

这就没有办法了。大伙儿摇着头，都走了。

就这样，马小跳头上套着那个罐子，闷在里面什么都看不见，耳边老响着嗡嗡的声音，那是马小跳出气吸

气的声音在罐子里回荡。幸好有小非洲一直陪伴着他，他才没有觉得太无聊。

"跳跳娃，在罐子里面是不是很好玩？"

小非洲扯着嗓门儿说话，隔着一个罐子，他怕马小跳听不见。

"一点都不好玩。我终于知道什么叫黑暗了。"

马小跳也是扯着嗓门儿说话，隔着一个罐子，他怕小非洲听不见。罐子里面的声音快把他的耳朵震聋了，传出来的声音却很小很小。

小非洲正在嘎嘣嘎嘣地吃桃，那是刚从树上摘下来的鲜桃，又甜又脆。

"跳跳娃，你想吃桃吗？刚从树上摘下来的。"

马小跳在罐子里能听见他吞咽口水的咕咕声。他很生小非洲的气，他明知故问，现在他怎么吃东西啊？

小非洲见马小跳没理他，突然担心起来："跳跳娃，你都不能吃东西了，会不会饿死啊？"

马小跳也在想这个问题。但他没想到他会饿死，他是个生性乐观的孩子，想问题总是往好的方面去想。

　　"在饿死之前，先会饿瘦；瘦了，脑袋就会变小；脑袋小了，自然就从罐子里出来了。"

　　小非洲问："那要饿多长时间，你的脑袋才会饿小？"

　　马小跳说："至少三天吧。"小非洲不能理解："为了一个罐子饿三天，真不值！"

　　"我觉得值！"马小跳说，"这个罐子是奶奶的传家宝，因为这个罐子，奶奶煲的汤才那么好喝。为了保住奶奶的这个罐子，别说饿三天，就是饿三十天，我也愿意。

　　"饿三十天，早就饿死了。"

　　这句话，马小跳没听清楚："小非洲，你说什么？再说一遍！"

　　小非洲不敢把刚才的话再说一遍，换了一种说法："我说我不吃不喝，也陪着你饿三天。"

　　马小跳被这话感动了，他走过去抱住小非洲："你是天底下，我最好最好的朋友。"

　　小非洲又被马小跳这话感动了，他本来还想吃第二个桃，也不吃了，他决定从现在起，真的不吃不喝，陪

马小跳一直饿到脑袋变小。

马小跳的一只手握着小非洲的一只手，下定了决心饿三天，心里都有些悲壮。

只悲壮了不到两小时，黑旋风回来了——老白鹅张开翅膀，将头藏在翅膀里；小非洲顾不上马小跳，赶紧跑开了；马小跳什么都看不见，愣在院子中央，结果被横冲直撞的黑旋风撞倒在黄桷树那里，把套在头上的罐子撞碎了。

"嗷嗷！"小非洲欢呼道，"跳跳娃的头出来了！"

马小跳却哭了："完了，我们家的传家宝……"

奶奶也是悲喜交加，悲的是她的

宝贝罐子没了；喜的是她的宝贝孙子没事了。

这时候，马小跳的爷爷回来了，见马小跳和奶奶的表情异常，忙问出了什么事儿。

奶奶指着黄桷树下一堆碎片："咱们家的传家宝——我那宝贝罐子没了！"

"什么传家宝！"爷爷哈哈大笑，"那传家宝早就被我不小心打碎了，我怕你唠叨，就照着那样子又买了一个，才花了两块钱。"

"什么，传家宝罐子早就没了？"奶奶不相信，"那我煲的汤咋那么好喝呢？"

"奶奶，那是你的手艺好，比大饭店的大厨师手艺还好！"

听马小跳这么一说，奶奶又高兴了。以前，人人都夸她煲的汤好喝，她都归功于煲汤的罐子好。今天，奶奶终于相信，原来是她煲汤的手艺好。

爱管闲事的狗

　　奶奶家的大黄狗快生小狗狗了，一天到晚拖着一个大肚子，还在到处捉老鼠。可爷爷奶奶并不怎么喜欢大黄狗，他们抱怨它"狗拿耗子，多管闲事"。本来人家大黑猫捉老鼠捉得好好的，大黄狗却争着抢着要去捉老鼠，害得大黑猫无事可干，把整个心思都放在邻居家的大白猫身上，现在连家都不回了。

　　"跳跳娃，你把大黄狗看紧点，它快生小狗狗了，别让它再管闲事。"

奶奶答应马小跳，如果大黄狗生了小狗狗，她会送一只小狗狗给马小跳，让他带回城里去养。

马小跳不再出去玩了，天天守着大黄狗，不让它再管闲事。

一天，大黄狗悄悄溜到奶奶家的菜园里，看见好大一只"老鼠"，慌慌张张的样子，不知想干什么。

"汪汪！"

"汪汪汪！"

大黄狗狂叫起来。

"跳跳娃！"奶奶知道大黄狗又要管闲事了，"不要让大黄狗乱跑，它快生小宝宝了。"

马小跳追出去，大黄狗已经跑远了。

"大老鼠"在前面跑，大黄狗在后面追。它们跑呀，跑呀，也不知跑了多远，当大黄狗快要追上"大老鼠"的时候，前边的"大老鼠"突然趴在地上不动了，后边的大黄狗也跟着趴在地上不动了。

哈哈，都累趴下啦！

等马小跳跑近一看，大黄狗已经生下一窝小狗狗，

一二三四，一共
四只。

马小跳再去
看趴在前边的
"大老鼠"，这哪
里是老鼠，简直
就是一个怪物：
个头跟猫差不多，
尖嘴猴腮，有一
条毛茸茸的像松鼠一样的尾巴。它的毛倒跟老鼠的毛很
相近，都是灰不溜秋的，但它肯定不是老鼠。

这个怪物也生下了一窝小怪物，但只有两只。

"汪汪汪！"

大黄狗根本不管它刚生下来的四只小狗狗，又追了
上来。

怪物妈妈也站起来，跑了几步，回头望一眼还躺在
地上的两只小怪物，它是不忍心扔下它的孩子。

看大黄狗已经追上来了，怪物妈妈不得不跑了。

"大黄狗，你别瞎追了！"马小跳捉住大黄狗，"你看看清楚，你追的根本不是老鼠。"

马小跳蹲下来看那两只还没有睁开眼睛的小动物。大黄狗也看了一阵，也许它看出躺在地上的小怪物真的不是小老鼠，它伸出舌头，轮流地舔着两个小怪物，把它们身上的血迹舔干净。刚才，它们的妈妈生下它们，还来不及舔干净它们身上的血迹，就被大黄狗吓跑了。现在，大黄狗是在替它们的妈妈舔它们啊！

马小跳跑过去看大黄狗生的小狗狗，它们的眼睛也还没有睁开，它们身上的血迹，大黄狗也还没来得及舔干净。

"大黄狗，快过来！"

马小跳要大黄狗过来照顾它自己的小狗狗，可大黄狗不过来，寸步不离地守着那两个小怪物。

"这爱管闲事的大黄狗，连自己亲生的小狗狗也不管。"

马小跳脱下他身上的 T 恤衫，铺在地上，小心地把四只小狗狗一只一只地放在上面包起来，然后又把两

个小怪物包在里面，带着大黄狗回家了。

"爷爷奶奶!"马小跳一进门就报喜，"大黄狗生小狗狗了!"

爷爷奶奶都过来看："一二三四五六，啊，大黄狗生了六只小狗狗!"

"不，有两只不是。"

马小跳把两个小怪物指给爷爷奶奶看，又把刚才发生的事情讲给他们听了，爷爷奶奶也不知道那两只小怪物到底是什么动物。

"快，快把这两只小怪物拿出去扔了吧!"

爷爷听了奶奶的话，便要动手。

"汪汪汪! 汪! 汪!"

大黄狗朝爷爷大叫，死死地护住那两只小怪物。

爷爷从来没看见大黄狗这么凶过，吓得赶紧缩回手，再也不敢去动那两只小怪物。

从此以后，大黄狗就把那两只小怪物当成了自己的孩子，只给它们喂奶，根本不理睬它自己生的四只小狗狗。

四只小狗狗饿得直叫，叫得真可怜，叫得奶奶的心都碎了。

爷爷急得像热锅上的蚂蚁，在院子里走来走去。奶奶急得直骂大黄狗："这爱管闲事的狗东西！"

大黄狗不给小狗狗喂奶，总不能看着四只小狗狗活活饿死呀！

马小跳找来几个小塑料瓶，把牛奶灌在里边喂小狗狗。爷爷奶奶都来帮着喂，马小跳喂一只，爷爷喂一只，奶奶喂一只，还剩下一只小狗狗，马小跳训练老白鹅来喂它。

老白鹅学得真快，它用它的嘴夹住装着牛奶的小塑料瓶，然后喂进小狗狗的嘴里。

四只小狗狗喝着牛奶，一天天长大了；那两只小怪物吃着大黄狗的奶，也一天天长大了。

村子里的人都知道马小跳奶奶家出了怪事：大黄狗不养它亲生的四只小狗狗，却养了两只小怪物。大家都来看那两只小怪物。有人说那两只小怪物有点像獾。

刚好马小跳从城里带来了一本《动物百科全书》。他

对照着上面的图片左看右看，确认这两个小怪物真的就是小獾。

獾是野生动物，必须把这两只小獾放回大自然中去。可是，大黄狗从早到晚把两只小獾守得紧紧的，寸步不离，怎么办呢？

奶奶说："等大黄狗睡着了，我们把两只小獾抱走。"

"不行不行！"爷爷说，"你忘记大黄狗是干什么的了？它是捉老鼠的，一有动静，它准醒。"

"我们灌醉它！"马小跳想出办法来了，"它不是喜欢喝爷爷的烧酒吗？"

大黄狗每次喝了爷爷的烧酒，都会醉得呼呼大睡。

这天晚上，马小跳给大黄狗倒了一大碗烧酒，大黄狗喝得摇头晃脑，过了一会儿，便沉沉睡去，使劲推它，它也不醒。

马小跳叫来小非洲，他们一人抱着一只小獾，向密密的山林走去。

鹿得了什么病

当大黄狗一觉醒来，已经是第二天早晨了。一看两只小獾没有在它的身边，它发疯似的四处寻找。

"汪汪！汪！汪！汪！"

大黄狗愤怒地狂叫着，它亲生的四只小狗狗吓得挤成一团，浑身颤抖；爷爷奶奶也被吓得不敢讲话；马小跳心里七上八下的：如果大黄狗知道那两只小獾是他和小非洲趁它酒醉不醒的时候，抱到山上去放了，大黄狗一定会跟他拼命的。

大黄狗在家里闹了一个上午，闹累了，趴在地上哀号着哭了好一会儿。马小跳见它是真哭，泪珠不停地从它眼睛里滚出来。

"大黄狗，你别哭了。"奶奶揉着她的心口，"你把我的心都哭碎了。"

大黄狗含着泪，走出了奶奶家，它生的四只小狗狗也跟着它出来了。

"汪汪！汪！汪！汪！"

大黄狗转身对小狗狗一阵狂叫，把小狗狗们吓了回去。它们的妈妈跟它们一点儿都不亲，它从来没有喂奶给它们吃，它只喂奶给两只小獾吃。

大黄狗上山了，它要上山去寻找它的两只宝贝小獾。

大黄狗在山上东闻闻，西嗅嗅，小獾身上的气味，它早已熟悉。它相信，只要能嗅到它们的气味，它就能找到它们。

在山上转悠了一个下午，大黄狗也没有找到那两只小獾。大黄狗绝望地下山来。在半山腰的草丛里，大黄

狗发现一只鹿躺在那里。

"汪！汪！"

大黄狗叫了两声，鹿一动不动。

大黄狗又去拖它，它还是一点儿反应都没有。

"这只鹿怎么啦？它是不是死了？"

大黄狗又要管闲事了，它飞奔下山。

"汪！汪！汪汪汪！"

大黄狗一路狂奔，一路狂叫。

老远就听见大黄狗的叫声，爷爷奶奶都知道：大黄

狗又要管闲事了。

鹩哥也站在屋梁上尖声叫道："出事啦！出事啦！"

大黄狗冲了进来，直奔马小跳，用嘴咬住他的一只裤角，拼命地向外拽。

正和马小跳在一起逗小狗狗玩的小非洲，以为大黄狗找不到小獾，要找马小跳拼命。马小跳却明白大黄狗的意思：它是要马小跳跟它走。

"大黄狗肯定发现了什么，要带我们去看看。"

大黄狗在前面跑，马小跳和小非洲紧跟在后面。

大黄狗把马小跳和小非洲带到半山腰的那片草丛里，他们看见一头骨瘦如柴的鹿躺在那里。

"它死了吗?"

小非洲把手放在鹿的鼻子那里，能感觉到它还有一点儿微弱的气息。

"它还没有死，还有一点点气。"

"还可以救活吗?"马小跳手足无措，"我们一定要救活它。"

小非洲看着马小跳，也手足无措，他也不知道怎么来救活这只鹿。

"你看着我干什么？"马小跳冲小非洲吼道，"你快想办法救鹿呀！"

"我有什么办法？我又不是兽医。我又不会看它得了什么病，我怎么救它？"

小非洲的话倒提醒了马小跳。

"对了，我们找兽医。"马小跳问小非洲，"这附近有兽医吗？"

小非洲说："村子里有一个兽医，各家养的猪狗马牛病了，都找他看。但不知道他能不能给鹿看病。"

"怎么不能？"马小跳是这样看兽医的，"除了不给人治病，兽医应该能给所有动物治病。"

小非洲不同意马小跳的说法："兽医也可以给人治病。前几天，我妈妈发烧，就是找这个兽医给治好的。"

马小跳从来就不是一个很能坚持自己观点的人，他顺着小非洲的意思说："其实，你妈她也是动物，是两只脚能直立行走的动物。"

"你妈才是动物！"

小非洲生气了，他以为马小跳在骂他妈妈。

看他们俩就要吵起来，大黄狗汪汪直叫。

听大黄狗一叫，他们俩才意识到现在最重要的是抢救奄奄一息的鹿。

山里的天黑得真快，一黑下来就伸手不见五指。

大黄狗在前面带路，马小跳和小非洲抬着鹿下了山，已经是快半夜了。

砰！砰！砰！

"汪！汪！汪！"

小非洲使劲地捶着兽医家的门，大黄狗拼命地叫。

沉静的村庄被他们吵醒了。

兽医披着衣服出来开门，小非洲和马小跳抬着鹿就往里冲。

兽医家的院子不大，但还真像个医院：有诊疗室、手术室，还有药房。小非洲说："在后院，还有一个住院部呢。"

兽医的下巴上留着一撮山羊胡子，马小跳看他有六十几岁，可小非洲说他只有四十几岁。山羊胡子让他们把鹿直接抬上手术台，然后把他们赶出手术室。

"医生医生，鹿到底生了什么病？"

"我还没有给它检查，怎么知道它得了什么病？"

马小跳说："我们不能在里面看你给鹿做检查吗？"

"你们在里面会影响我工作。"山羊胡子穿上消了毒的手术服，又戴上做手术的橡皮手套，"你们在外面等着吧！"

马小跳和小非洲只好在外面等着。

夜深人静，村子里只有兽医家的手术室里还亮着灯。从手术室里不时传出手术器械放进盘子里的声音，这声音像一只恐怖的手，把马小跳的心都揪紧了。

马小跳突然感到很害怕……

要命的塑料袋

手术室的门终于开了。

"怎么样？"马小跳和小非洲争先恐后，扑了进去，"鹿救活了吗？"

兽医十分沮丧地摇摇头："我把小鹿从母鹿的肚子里取出来了，但是母鹿还是没能救活。"

"母鹿是因为生小鹿死的吗？"

"不是。"兽医十分肯定地说，"它瘦得皮包骨头，一定是得了什么病。"

"什么病？是癌症吗？"

马小跳只知道得了癌症这样的病才会死去。

"现在还不知道。"兽医说，"我要给它做解剖，才能判断出母鹿到底是得了什么病。"

刚刚经过剖腹产出来的小鹿十分瘦弱，幸好大黄狗还有奶水．他们把小鹿放在它的面前。

大黄狗十分警惕地看着小鹿，看着看着，眼睛里渐渐地充满了慈爱之情。它温柔地舔着小鹿，像对待那两只小獾一样，它又把小鹿看作是它的孩子了。

小鹿的妈妈死了，马小跳只好把小鹿带回奶奶家，让大黄狗来哺育小鹿。

第二天一大早，马小跳和小非洲就跑到兽医家里，

他们很想知道，母鹿到底是怎么死的？

兽医告诉他们："母鹿是被活活饿死的。"

"怎么会被饿死？"马小跳不相信，"鹿是吃草吃树叶的，这满山遍野都是草，都是树，难道还不够它吃吗？"

兽医转身进了手术室，提着一只桶出来，让他们看桶里的东西："这就是把母鹿活活饿死的元凶。"

桶里装着一堆沾满血污的塑料袋，兽医用镊子一条一条夹起来给他们看，大大小小的一共有二十几条。

"母鹿的胃腔里塞满了这些塑料袋，根本无法进食，所以我说它是被活活饿死的。"

马小跳明白了：难怪母鹿这么瘦，原来是严重的营养不良。但他不明白的是，鹿为什么要去吃塑料袋呢？

兽医说："鹿是温顺的动物，它们太相信人类了，对人们投给它们的东西没有一点儿警惕性。"

说来说去，人才是害死母鹿的凶手，因为山里的塑料袋，都是到山上去的游人随手扔的。这些人呀，还以为他们是爱动物的呢。他们千里迢迢来到这里，一心想

跟这里的野生动物来个零距离的亲密接触，哪里知道他们恰恰成了杀害动物的凶手?!

从兽医家出来，马小跳和小非洲不放心小鹿，又匆匆赶回奶奶家去看小鹿。小鹿还没有足月就从它妈妈的肚子里取出来，一直到现在还没有睁眼睛。

大黄狗像个称职的妈妈，一刻也没有离开过小鹿。

全家人都围着小鹿，都在担心小鹿能不能活下来。

"作孽哟!"爷爷唉声叹气，"这么小就没有了妈!"

"可怜的小东西!"

奶奶不停地抹眼泪。

"作孽哟! 可怜的小东西!"

屋梁上的鹩哥学舌，把爷爷奶奶的语气都学得惟妙惟肖。

"鹩哥，我给你吃颗糖豆，你跟我学句话。"

马小跳向鹩哥扔了一颗糖豆，鹩哥一伸嘴，接住了。

马小跳教鹩哥说道:"小鹿的妈妈哪儿去了? 塑料袋把它害死了。"

"小鹿的妈妈哪儿去了？塑料袋把它害死了。"

这句话有点长，鹩哥开始说得不是那么顺溜，马小跳陪着它练了一会儿，它便说得顺顺溜溜，字正腔圆了。

"跳跳娃，为什么教鹩哥说这话？"奶奶揉着心口，"我听着就伤心。"

"我要把鹩哥带到进山的路口那里去，还要把小鹿也带去。小非洲，你去不去？"

"你去我就去。"

小非洲并不知道，马小跳要带着鹩哥和小鹿到那里去干什么，但跟马小跳在一起就有趣，就好玩。所以，小非洲想都没想，就说去。

马小跳让小非洲找来一根竹竿，在竿顶上扎了一条大白塑料袋，让小非洲当旗子一样举着。然后又把平板车套在那头跑得像马一样快的黑猪——黑旋风身上。

马小跳到大黄狗的身边去抱小鹿，大黄狗护住小鹿，对马小跳怒目而视。

"好好好，让你也去。"

　　大黄狗先跳上平板车，让小鹿躺在它的怀中。黑旋风拉着它们，来到进山的路口。

　　路口是游人进山的必经之路。

　　游人们一见猪拉车，又听见鹩哥哇啦哇啦地说着人话，都好奇地围了过来。

　　"小鹿的妈妈哪儿去了？塑料袋把它害死了。"

　　鹩哥站在马小跳的肩头上，反反复复地说着这句话，小非洲把竹竿上的大白塑料袋像旗子那样舞得哗哗响。

　　开始，围观的人都还在笑。鹩哥说的话像流不断的水，不断地灌进他们的耳朵里，又看看平板车上，躺在大黄狗怀中的小鹿，他们渐渐明白是怎么一回事，就再也笑不出来了。

　　人们脸上的表情变得复杂起来：有对小鹿的同情；有对鹩哥、大黄狗、黑旋风的敬意；更多的是对自己同类的责备。

　　接连好多天，他们都出现在进山的路口。

　　本来鹩哥的表演欲就强，现在见每天都有好多人围

着它，嗓门儿更大了，话也越说越顺溜："小鹿的妈妈哪儿去了？塑料袋把它害死了。"

大黄狗积极配合鹦哥，时时刻刻都做出给小鹿喂奶的样子，让人们不忍心再看下去。

这样的宣传效果太好了。当人们要随手扔掉塑料袋时，他们的眼前，就会出现大黄狗给小鹿喂奶的悲惨情景；他们的耳边，就会响起鹦哥反复说的话语："小鹿的妈妈哪儿去了？塑料袋把它害死了。"

耍流氓的坏猴子

　　在城里上学的时候，马小跳总嫌时间过得太慢太慢；在乡下奶奶家，马小跳却嫌时间过得太快太快，还没玩够，天就黑了。马小跳恨不得把晚上睡觉的时间、吃三顿饭的时间，通通用来玩。

　　这天中午，马小跳刚坐到饭桌边，一碗饭还没扒完，就听见几声青蛙叫。

　　这是小非洲跟他联络的暗号，马小跳把碗筷一放，就跑了出去。

奶奶追出来:"跳跳娃,吃完饭再出去!"

对马小跳来说,吃饭根本不重要,玩才重要。

"跳跳娃,我刚才看见一群猴子下山来偷玉米,你想不想去看?"

"快走!"

在这野生动物保护区里,数量最多的动物就数猴子了。

小非洲把马小跳带到一片玉米地里,那里起码有几十只猴子在掰玉米,地上到处都是玉米棒子。

"这是谁家的玉米地?"

"糊涂爷家的。"小非洲指着玉米地边的一座小棚屋,"那躺在地上睡大觉的是糊涂爷,坐在椅子上的是

猴王。"

马小跳一看，小棚屋边，真的躺着一个满脸通红的老头儿，睡得正香。一只身材魁梧的公猴，跷脚坐在椅子上，眨巴着眼睛，东张西望。

小非洲告诉马小跳，这野生动物保护区里有几群猴子. 每群猴子都有自己的猴王、自己的地盘。其他几群猴子都在深山里，只有这群猴子爱往有人的地方跑。猴子们似乎已经掌握了糊涂爷的生活规律，他每天喝了中午酒，都要睡一阵子，所以它们就跑下山来，在玉米地里捣鼓一阵子。下午，等糊涂爷睡醒了，上山的人也多起来，猴子们便会跑到半山腰，拦路抢劫，专门抢女游客的相机、挎包，所以村子里的人都叫这群猴子是"泼猴"，叫它们的猴王是"花花太岁"。

泼猴们已经把玉米地糟蹋得不成样子，可是，糊涂爷还在呼呼大睡。

马小跳和小非洲悄悄摸到糊涂爷的身边，看到他只穿了件白布短裤，肚皮鼓鼓地露在外面，像个大白瓜。

马小跳用一根玉米秆，去拂糊涂爷的肚子，糊涂爷

一巴掌打在肚皮上，翻了个身又睡去了。

花花太岁听见啪的一声，立刻警觉起来，带领泼猴们撤离了玉米地。

糊涂爷还是不醒。小非洲说，就是他醒了，泼猴们也不怕他，它们照样在他的玉米地里捣乱。

马小跳看糊涂爷那圆滚滚的肚子，一鼓一鼓地，很好玩，就在小非洲的耳朵边说起了悄悄话。小非洲听着听着就笑起来，然后他们一溜烟跑回家去了。

马小跳拿上他画画的彩色颜料，又一溜烟地跑回糊涂爷的身边。

马小跳端详着糊涂爷的肚子，用笔蘸上黑色的颜料，画了两道立起的粗眉毛，在眉毛下面，画了两个铜铃大的眼睛。在肚脐眼那里，马小跳用鲜红的颜料，画了一个红红的大嘴，像个血盆大口，要吃人似的。

阿——嚏！

糊涂爷突然打了个惊天动地的喷嚏，他一下子坐起来，那张巨大的"鬼脸"几乎挨着了马小跳的脸，吓得他撒腿就跑。

阿——嚏！

小非洲也跑，他们跑到一片竹林后面躲起来。再往玉米地那边一看，糊涂爷又躺下去睡着了。

过了一会儿，花花太岁又带着那群泼猴杀回来了，它们把那些成熟的和没有成熟的玉米棒子，掰得满地都是。

阿——嚏！

糊涂爷又打了个惊天动地的喷嚏，把泼猴们都给震

晕了。它们眨巴着眼睛，转来转去地看，不知道发生了什么事情。

糊涂爷睡醒了，他从地上站起来，伸了个懒腰。

花花太岁和泼猴们看见他肚皮上那张比脸盆还大的鬼脸，吓得魂都飞了，没命地朝山上跑去。

糊涂爷嘿嘿地笑起来："跑了？怕我了？"

泼猴们从来不怕糊涂爷，每天都要跑到玉米地里来跟他捣乱。他不明白，今天泼猴们为什么这样怕他。

看着被泼猴们糟蹋了的玉米地，糊涂爷也不是太生气。他挎了个篮子钻进玉米地里，拾那些被泼猴扔在地上的玉米棒子。

马小跳和小非洲离开玉米地，回到小非洲的家，就听小非洲的妈妈说，刚才，一群猴子大耍流氓，拦住那些穿裙子的女游客，专门去拉扯她们的裙子。

"肯定是花花太岁带领的那群泼猴。"

马小跳说："我们找糊涂爷去。"

"找糊涂爷有什么用？"小非洲的妈妈不明白，"泼猴把他的玉米地糟蹋成那样，我看他也没什么办法。"

　　小非洲的妈妈当然不知道，现在糊涂爷的肚皮上有一张鬼脸，花花太岁和泼猴们都怕鬼脸。

　　"糊涂爷！糊涂爷！"小非洲把糊涂爷从玉米地里喊出来，"求求你去救救那些女游客，猴子们在对她们耍流氓。"

　　看糊涂爷迷迷糊糊的样子，一时还没有反应过来，马小跳接着给他灌迷魂汤："糊涂爷，猴子们谁都不怕，就怕您。"

　　糊涂爷想起刚才泼猴们见了他就没命地跑的情景，得意起来："对，猴儿们谁都不怕，就怕我，走！"

　　糊涂爷跟着马小跳和小非洲，朝山上跑去。

鬼脸吓不倒花花太岁

　　猴王花花太岁和它率领的那群泼猴们被糊涂爷肚皮上的鬼脸吓得魂飞魄散，仓皇逃回山上。

　　野生动物保护区的山中有无数个风景点，其中以珍珠滩最著名。在这里，几个大大小小的瀑布飞流直下，水花翻滚，犹如滚满一地晶莹洁白的珍珠，珍珠滩的名字就是这样得来的。

　　珍珠滩那里的游人最多，也是泼猴们最爱去的地方。刚刚受到惊吓的泼猴们一到这里，便把刚才的事情

忘得一干二净，它们爬到高高的树上，伺机行动。

这会儿，来了几个女游客，她们都穿着漂亮的花裙子，摆着各种姿势，在珍珠滩边拍照。

流氓成性的花花太岁溜下树来，走到一个女游客的身后，一把抓住她的裙子使劲地拉。

女游客尖声叫起来，其他几个女游客也尖声叫起来。

树上的泼猴们看着好玩，纷纷跳下树来，学着花花太岁的坏样，有的去拉女游客的花裙子，有的去抢女游客的相机、背包。

珍珠滩边一片混乱。

正在这时候，马小跳、小非洲和糊涂爷来了。

"猴儿们，不许撒野！"

糊涂爷大喝一声，挺着肚子向泼猴们冲去。

花花太岁最怕糊涂爷肚皮上的鬼脸，它转身就跑，泼猴们紧跟着它，不一会儿便消失得无影无踪。

"老大爷，谢谢您救了我们！"

"老大爷，您这一招还真灵！"

游客们围着糊涂爷，说着感激的话。

糊涂爷这才知道他肚皮上有"文章"，他把马小跳推到众人的面前："你们要谢就谢他吧！我这肚皮上的鬼脸呀，是他刚才调皮，趁我睡着的时候画的。不料想啊，刚才也是这群泼猴，跑到我的玉米地里捣乱，还真被这鬼脸吓跑了。"

游客们还要往山上走，他们怕再遇到那群泼猴，就找来画画的颜料，要马小跳在他们的衣服上、T恤衫上都画上鬼脸，这才壮着胆子上山去。

马小跳他们以为泼猴们再也不敢在珍珠滩这一带干坏事了。可是第二天，就听说花花太岁率领的泼猴们又出现在珍珠滩，继续作恶，不仅拉女游客的裙子，还撕裙子，把抢来的照相机、背包都挂在高高的树上。

马小跳和小非洲又去找糊涂爷。糊涂爷刚喝了中午酒，正躺在玉米地边睡大觉。昨天马小跳在他肚皮上画的鬼脸，他没舍得洗，肚子一起一伏，就像胖脸鬼在大口大口地喘粗气。

"糊涂爷，醒一醒！"

任凭马小跳和小非洲怎么摇、怎么拍，糊涂爷就是不醒。

马小跳拉住糊涂爷的一只耳朵，小非洲拉住糊涂爷的另一只耳朵，他们高声大叫："花花太岁来了！"

糊涂爷咚的一声坐起来："在哪里？花花太岁在哪里？"

"糊涂爷，花花太岁又带着那群泼猴，在珍珠滩那里干坏事。"

糊涂爷站起来，拍拍他肚皮上的鬼脸："我去收拾它们，它们都怕我。"

马小跳和小非洲在前面跑，糊涂爷跌跌撞撞地在后面跟着。

到了珍珠滩，泼猴们已经在那里嚣张了好一会儿。猴王花花太岁嬉皮笑脸地坐在路中间，路边上、树上的泼猴们也是一副肆无忌惮的样子。

"糊涂爷，冲！"

马小跳和小非洲推着糊涂爷，冲向猴群。

"我来啦！"

糊涂爷哇啦哇啦地叫喊着，直奔花花太岁。

花花太岁嬉皮笑脸地看着糊涂爷，。很好玩似的。

糊涂爷冲到花花太岁的跟前，花花太岁在糊涂爷的肚皮上拍了一巴掌，正打在鬼脸上，倒把糊涂爷吓得一屁股坐在地上。

糊涂爷退了回来。花花太岁的一巴掌，吓得糊涂爷的酒也醒了。他指着他肚子上的鬼脸问马小跳："它们不怕我这鬼脸了？"

小非洲也觉得奇怪："昨天它们还被鬼脸吓得魂都飞了，今天怎么就不怕了呢？"

"是不是我睡了一晚上，把这鬼的眼睛睡得不够黑了，嘴巴不够红了？"糊涂爷说，"跳跳娃，你再给我重新画一个。"

马小跳又重新在糊涂爷的肚皮上画了一张鬼脸，把眼睛画得更黑更大，把嘴巴画得更红更大。

"好啦，这次准保把它们吓跑！"

糊涂爷再一次向花花太岁冲过去。他以为，只要把花花太岁吓跑，其他泼猴也就跟着它跑了。

谁知花花太岁岿然不动。等糊涂爷跑到它跟前，它又一掌击在糊涂爷的肚皮上，等于是打在鬼脸上，然后仰天大笑。

"叽叽叽！"

"叽叽叽！"

路边上、树上的泼猴们也学着它们的猴王花花太岁的样子，十分放肆地尖声笑着。

狡猾的猴子们已经识破了鬼脸是怎么一回事。昨

天，马小跳为那些游客都画了一张鬼脸，这么多的鬼脸开始是把泼猴们吓跑了，但花花太岁是只老奸巨猾的老猴子，它已看出了一些破绽：这些鬼脸都是一个表情，并不是那么可怕。

花花太岁带头去打那些游人身上的鬼脸，鬼脸一点反应都没有，倒把那些游人吓得赶紧脱下有鬼脸的衣服，四处逃散。

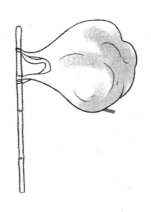

杀鸡给猴看

泼猴们捡起游人丢在地上的画有鬼脸的衣服，穿在身上，一路杀下山来，吓得路上的游人哭的哭，叫的叫。

在珍珠滩那里，猴王花花太岁带领泼猴们更加疯狂地干坏事。它们扯女游客的裙子，抢男游客的手机，然后把抢来的手机当排球玩，你扔给我，我扔给你，把游人们逗得跑来跑去、跳来跳去，猴子们觉得十分开心。

不能让泼猴们再这样猖狂下去了。

马小跳的爷爷跟猴子们打过交道，马小跳向他讨教，有没有对付泼猴的好办法。

"猴子怕红灯笼。"爷爷说，"以前，也有猴子经常跑到村子里来干坏事，后来村里家家户户都挂上红灯笼，猴子就不敢来了。"

这好办。马小跳的奶奶就会做红灯笼，他们一起动手，准备了好多红纸，好多篾条，连夜做了好多红灯笼。

一天中，泼猴们一般下山两次：中午一次，下午一次。

马小跳和小非洲赶在中午以前，让黑旋风拉着几十个红灯笼上了山。

珍珠滩是泼猴们最喜欢出没的地方。小非洲像猴子一样会爬树，他爬到树上，把一个个红灯笼挂上去。

不一会儿，珍珠滩周围的树上，都挂上了红灯笼。鲜红的灯笼在绿树的映衬下，显得格外好看。

中午时分，花花太岁率领的泼猴们下山来了。

一到珍珠滩，泼猴们便发现了树上的红灯笼。它们

没有敢像往常那样撒野，眼睛里充满了恐惧。

一贯骄横跋扈的猴王花花太岁，这时也有点发怵的样子。满眼的红灯笼，让它不敢轻举妄动。它率领泼猴们，垂头丧气地离开了珍珠滩。

"成功了！我们成功了！"

马小跳却不像小非洲那么乐观，因为已经跟花花太岁较量过一个回合，他知道这个狡猾的猴王不是那么好对付的。他们还不能马上离开珍珠滩，他有一种预感：下午，泼猴们还会下山来。

下午，花花太岁率领的泼猴们果然又下山来啦！

泼猴们没有像中午那样，看见红灯笼都害怕地挤在花花太岁的身边，而是四处散开，它们的眼睛里已经没有多少恐惧了。

猴王花花太岁爬上一棵最高的树，那上面挂着一个最大的红灯笼。花花太岁一掌击碎红灯笼，然后一把把它扯下来。

破碎的红灯笼从树上飘落下来，可怜巴巴地躺在地上。

有猴王做榜样，泼猴们纷纷爬上树去，击碎红灯笼，把红灯笼扯下来。

眨眼间，树上的红灯笼全部掉在地上了。

无法无天的泼猴们故技重演，又开始扯女游客的裙子，抢男游客的手机。

马小跳十分沮丧地回到奶奶家。

"现在的猴子真精啊！"

一招不行，爷爷又想出一招来：放鞭炮。

爷爷说，有一年快过春节了，村子里家家户户都用柏树枝熏腊肉。那腊肉的香味啊，顺着山风往山上吹，这就把山上的猴子引下来了。熏好的腊肉，一个晚上，全被猴子们搬到山上去了。

接下来好多天，猴子们天天下山来搬腊肉。有一

天，一个村民家里娶媳妇，放起了鞭炮，猴子们吓得四处逃窜，再也不敢下山来搬腊肉了。

小非洲最喜欢放鞭炮，听马小跳的爷爷说猴子怕鞭炮，迫不及待地就要去买鞭炮来放。

小非洲和马小跳带着几挂鞭炮，来到珍珠滩，把鞭炮挂在不易被发觉的地方，然后自己隐蔽起来。

泼猴们很准时，太阳刚移到头顶上，它们便冲下来了。

马小跳要打它们个措手不及。

"小非洲，点火！"

噼噼啪啪！

噼噼啪啪！

泼猴们捂着耳朵，乱作一团。猴王花花太岁最先回过神来，它看出这震耳欲聋的鞭炮声其实对它们并不会有任何伤害。

花花太岁和着激烈的鞭炮声，跳起了激烈的霹雳舞。

这一回合，马小跳又输给了花花太岁。

马小跳不服输。他不再相信爷爷的高招，他要自己想出一个办法来。

马小跳冥思苦想，一个成语"杀鸡给猴看"蹦进了马小跳的脑海里。

马小跳问小非洲："你学过'杀鸡给猴看'这个成语吗？"

"早就学过了。"小非洲说，"'杀鸡给猴看'的意思是当着猴子的面杀鸡，警告猴子也有这样的下场。"

"我们为什么不试试这个办法呢？"

马小跳回家就对奶奶说，他想喝鸡汤。

"这还不容易！"奶奶养了一群鸡，她捉了一只又肥又大的鸡，交给马小跳，"去，去找糊涂爷帮个忙。"

马小跳的爷爷奶奶都不杀生。每次杀鸡，都是请糊涂爷帮忙。糊涂爷也乐于帮忙，因为每次杀完鸡，他都能喝到一碗美味无比的鸡汤。要知道，马小跳的奶奶煲的鸡汤，方圆几十里都是有名的哟！

马小跳提着鸡找到糊涂爷，糊涂爷摇摇晃晃，从屋子里找出一把大刀来。

"没问题，我杀！杀……"

糊涂爷举起刀就要杀鸡，马小跳忙说："糊涂爷，我们把鸡拿到珍珠滩那里，杀给猴子看。"

他们刚到珍珠滩，花花太岁和泼猴们也来了。它们正在搜寻进攻的目标，一只鸡吸引了它们的目光：怎么这里会有一只鸡？

正当泼猴们疑惑不解的时候，糊涂爷一把揪住鸡的翅膀，把鸡横放在一块大石头上，手起刀落，砍断了鸡脖子。

没头的鸡在地上扑腾着挣扎了好一会，最后不动了，鸡的鲜血染红了那块大石头。

泼猴们看得惊呆了，接着尖声地叫着，没命地朝山上跑去。

这一回，泼猴们真的是被吓破了胆，一直跑进深山里，从此不敢再下山。

帮胖猴减肥

　　"杀鸡给猴看"这招还真灵，花花太岁率领的泼猴们从此不敢再到珍珠滩这个著名的景点来惹是生非了。

　　没过几天，小非洲跑来告诉马小跳，珍珠滩又来了一群猴子，这群猴子是从别的景区转移过来的，它们的猴王叫"黄毛老鬼"。不过，这群猴子跟花花太岁率领的猴子完全不一样，它们从来不干坏事，只喜欢跟游人在一起照相，游人们非常喜欢这些猴子。

　　马小跳还从来没见过喜欢照相的猴子，他和小非洲

立即上山。

珍珠滩那里好热闹，果然有十几只猴子正在和游人们合影，它们摆出各种亲昵的姿势：有的亲热地搂住游人的肩膀；有的顽皮地骑在游人的脖子上；有的温柔地依偎在游人的怀里；有的依依不舍地挽着游人的胳膊；有的深情地和游人四目相对……

拍完照，游人们一般会慷慨解囊，送点心、巧克力、饮料给猴子，甚至还有送牛肉干、香酥鸡、烤肥鸭、香烟的。

猴子们往往会把最好的东西拿去奉献给猴王黄毛老鬼。只见它懒洋洋地斜靠着一棵大树，身边堆满了好吃的东西。它一手夹着一根香烟，一手握着一只鸡腿，抽一口烟，啃一口鸡腿，再喝一口可口可乐。它抽烟的姿势十分老练，还会一个一个地吐烟圈。一罐可乐喝完了，它又拿出一罐来，熟练地拉开拉罐口继续喝。鸡腿啃了两口，随手一扔，又拿出鸭腿来啃。

总之，它的嘴巴一直很忙，没停下来过。

黄毛老鬼这么能吃，所以长得肥头大耳、腰肥肚

圆。马小跳从来没有见过这么胖的猴子。

不仅猴王黄毛老鬼胖，它旗下的猴子们都胖，一个个都是大腹便便、步履蹒跚的样子。因为游人给的东西太多，它们根本吃不完，就净拣好的吃，像什么花生米、水果、点心这些一般的东西都扔到一边不吃。

同是一座山上的猴子，但这群猴子跟花花太岁的那群猴子太不一样了。那群猴子精瘦精瘦的，行动敏捷，就爱干坏事。黄毛老鬼的这群猴子，虽然不干坏事，但它们也太懒了，除了吃就是睡，肥头大耳，行动迟缓，哪里还有猴子的精明样？

小非洲说："照它们这样吃下去，会不会有一天变成猪？"

"比猪还不如。"马小跳说，"你说它们能跟我们家的黑猪黑旋风比吗？"

正说着，他们看见黄毛老鬼十分困难地扶着树干站起来，大口大口地喘着气，朝前走了两步。突然，咚的一声，倒在地上。

马小跳和小非洲朝黄毛老鬼跑去。摸它的脉，还在

跳动；再把手放在它的两个鼻洞上，还有气息在进出。

"它没有死！"马小跳说，"快去找人！"

野生动物保护区管理局离珍珠滩不远，小非洲去了不久，就把管理局的管理员和兽医都带来了。

像给人看病一样，兽医戴上听诊器，给黄毛老鬼听了心脏，又用量血压的仪器给它量了血压。

"它得了什么病？"

"富贵病。"兽医说，"它患了肥胖症和高血压。"

兽医又给另外几只胖猴做了检查，查出它们都患有肥胖症和高血压。

"得让它们减肥了，否则，它们都将成为短命猴子。"

兽医说得很严重，保护区的管理员也很着急："猴子毕竟是动物，游客们要喂东西给它们吃，这肥能减得下来吗？"

小非洲说："干脆，禁止游客喂东西给猴子吃！"

"那不行。"管理员摇摇头，"游客喂东西给猴子吃，是一种乐趣，下了禁令，游客们肯定会有意见。再说，

如果游客们不给东西，猴子们也不会像现在这样去跟他们合影，游客们的意见不是更大吗?"

"我有一个办法。"马小跳问兽医，"猴子吃什么不会长胖?"

兽医说:"粗粮、水果。"

"可以在景区里设一个专卖猴食的小店，这个小店只卖粗粮和水果。如果游客想喂猴子东西吃，不能喂自己带的东西，只能喂小店里卖的粗粮和水果。你们说，这是不是一个两全其美的办法?"

"我看这办法不错。"兽医说，"不仅要给胖猴子限食，还要给它们限量。可以把粗粮分成一小袋一小袋的，规定每个游客只能买一小袋粗粮或一个水果来喂猴子。"

管理员说，他马上回去组织人准备猴食。

小非洲说，村子里有许多小孩子，现在放暑假不上学，可以组织一个志愿队，每天到这里来监督游客，帮助胖猴减肥。

马小跳和小非洲回到村里一说，小孩子们都愿意参

加这个帮胖猴减肥的志愿队，还选小非洲当队长。小非洲说还是让马小跳当吧，他当个副队长就可以了。

第二天，马小跳带领"帮助胖猴减肥志愿队"的全体队员，一早就来到珍珠滩。这时候，胖猴们还没下山，它们还在睡懒觉。

当珍珠滩的游人多起来，胖猴们也来了。黄毛老鬼走在中间，还是气喘吁吁的样子。

大概是想吃东西了，胖猴们都主动去跟游客们合影。合完影，它们伸出一只手，向游客要东西吃。

这时候，"帮助胖猴减肥志愿队"的小队员们开始哇啦哇啦地宣传起来，他们把游客们引到"猴食专卖店"。游客们买了粗粮和水果，去喂猴子。

胖猴们吃惯了好东西，根本不吃粗粮和水果。

有些小队员沉不住气了："跳跳娃，胖猴不吃东西，会不会饿死？"

"不会的。"马小跳胸有成竹，"它们饿极了，不吃也得吃。"

黄毛老鬼还像往常一样，斜靠在那棵大树下。等了

好久，也不见有猴子给它送
好东西来，它只得自己动身，
捡了一根扔在地上的香蕉，
剥了皮，有滋有
味地吃起来。

　　吃了一段时
间的粗粮和水果，
胖猴们明显地瘦
了。再加上游客
们自觉限量，粗
粮和水果根本吃

不饱肚子，猴子们必须上树去采野果子吃，这样，它们
的行动又变得敏捷灵活了。

　　胖猴们减肥成功，恢复了猴模猴样。特别是猴王黄
毛老鬼，它现在英武雄壮，跟以前那老态龙钟、饱食终
日的模样相比，简直判若两猴。

调查穿山甲

小非洲有两天没有来找马小跳玩了。马小跳以为他病了，就到他家里去看他。小非洲果然躺在床上。

"小非洲，你病了吗？"

马小跳去摸小非洲的额头，不烧呀。

小非洲睡得真香，流了一大摊口水在枕头上，那两只招风大耳朵还能像猫耳朵那样一动一动的。

马小跳去拉小非洲的耳朵："起来！起来！"

"别……别……"小非洲睁不开眼睛，"我有两个晚

上没睡觉了。"

　　两个晚上没睡觉，干什么去了？为什么不叫上他一块儿去？马小跳的好奇心特别强，他想要知道什么，就一定要想方设法知道。

　　马小跳捻了根纸条，插进小非洲的鼻孔里，不停地转动。小非洲连打几个喷嚏，翻了个身，又睡过去了。

　　马小跳趴在小非洲的身上，捏住他的两个鼻孔，不

让他呼吸。可小非洲张开嘴巴，嘴巴能出气，也能吸气，他还是不醒。

马小跳又用喇叭对着小非洲的耳朵，拼命地吹，腮帮子都吹疼了，小非洲还是一点儿反应都没有。

马小跳要下"毒手"了。他去厨房舀了一勺红红的辣椒面，灌进小非洲的嘴里。

"啊——"

小非洲惨叫一声，跳下床来，冲出去吐掉嘴里的辣椒面，又咕咚咕咚喝了一肚子凉水，还是被辣得在地上跳来跳去。

小非洲这会儿是彻底醒过来了，只是还说不出话来。马小跳赶紧往他嘴里放了一块杏仁巧克力。

杏仁巧克力吃完了，小非洲

也能说出话来了。

马小跳开始审问小非洲:"你说两个晚上没睡觉,干什么去了?"

小非洲警觉地朝四处看看,确定他爸爸妈妈都不在家后,这才告诉马小跳:"跟我爸爸进山了。"

马小跳不高兴了:"进山为什么不叫上我?我俩还是不是好朋友?"

"我爸不让我叫你。"

"为什么?"

"我爸不让我往外说。"

"连我都不说吗?"马小跳威胁小非洲,"如果你不对我说,我们从此不做好朋友。"

小非洲显出很难受的样子,就像拉屎拉不出来的那副表情。

小非洲最终还是向马小跳投降了:"我跟我爸进山捉穿山甲。"

"捉穿山甲做什么?"

"穿山甲的肉是高级补品,穿山甲的鳞可以做

药材……"

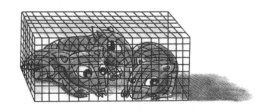

"小非洲，你们
的胆子好大！"马小
跳把小非洲吓住了，
"你知不知道穿山甲是国家二级保护动物？"

上科学课的时候，轰隆隆老师专门给班上的同学讲
过受国家保护的珍稀动物，还让他们把这些动物的名字
都背下来，并专门进行过两次考试，所以马小跳牢牢记
住了：穿山甲是我们国家的二级保护动物。

"这……"小非洲不知道穿山甲是国家二级保护动
物，"这穿山甲，山上多的是。"

"再多也不行。"这时候，轰隆隆老师讲的有关穿山
甲的知识，全都浮现在马小跳的脑海里，"知道穿山甲
吃什么吗？吃白蚁。白蚁又吃什么？吃树根、吃树干、
吃房屋的梁柱。你们把穿山甲都捉光了，白蚁就会把山
上的树吃光。吃光了山上的树，成千上万的白蚁大军就
会爬下山来，吃你们家房屋的梁柱。你们家的房子就会
轰隆隆地垮了，到时看你们住哪儿？"

小非洲目瞪口呆："有，有那么严重吗？"

"你以为我是吓你的吗？"

小非洲知道马小跳没有吓他，他也承认马小跳说得有道理。

"我们村子里，好多人都上山捉过穿山甲。立夏跟他爸去过，谷雨跟他爸去过，大雪跟他爸去过，春耕跟他爸去过……"

"他们全部都在犯罪。"马小跳没耐心看着小非洲扳着指头再说下去，"你老实说，你和你爸捉了几只穿山甲？"

小非洲说："四五只吧。"

"那还得了！"马小跳叫起来，"一个晚上你们就捉四五只，一年三百六十五天，那你们不是要捉差不多两千只穿山甲，真是罪大恶极！"

"不，不能这么算！"小非洲很怕担这样的罪名，"穿山甲只有夏天好捉，因为夏天天气热，穿山甲打的洞只有一米深。等天气一凉，穿山甲打的洞就有十几米深，就不那么好捉了。"

马小跳要看小非洲捉的穿山甲，小非洲说他爸爸一早就拿去卖了。

"卖到哪儿去了？"

"野味餐厅。但我不知道是哪一家。"

"我们一家一家地去找。"

"怎么找呀？"小非洲嫌麻烦，"野味餐厅那么多……"

"小非洲，你已经犯下了罪，你想不想将功赎罪？"

"我带你去就是了，但你别说什么'将功赎罪'，好像我是个罪人。"

"捕捉国家二级保护动物，还不是罪人？！"

马小跳得理不饶人。

大闹野味餐厅

　　整个望龙山区，都是野生动物保护区。在进山路口的附近，大大小小的野味餐厅多如牛毛。马小跳不明白：野生动物保护区，为什么会有这么多专门烹调野生动物的野味餐厅？

　　傍晚时分，成群结队的游人从山上下来了，守候在进山路口的餐厅服务员蜂拥而上，抢起生意来。

　　"去我们那里，全部是野味，包你满意。"

　　"我们餐厅的野味，新鲜得很，现点现杀。"

"我们才是最正宗的野味餐厅，有好多年的历史了。"

服务员们拖的拖，拉的拉，游人们不由自主地被他们拉进了餐厅。

马小跳对小非洲说："我们也进去！"

"我不能进去。"小非洲多长了一个心眼，"餐厅里的服务员好多都是我们村里的，都认识我。你进去吧，我在外面给你放哨。"

马小跳大模大样地走进一家大餐厅。这里灯火通明，人气很旺。只有靠近厨房的一个角落里还有一张空桌子，马小跳就在那里坐下来。

没有人理马小跳。服务员们忙得脚不沾地，有的在上菜，有的在给顾客介绍菜谱，有的把客人带进厨房去点杀野生动物……

旁边那一桌正在上菜，每上一道菜，服务员都要作介绍。

"这是红烧穿山甲，有营养。"

"这是干煸蛙腿，有营养。"

"这是黄焖果子狸，有营养。"

"这是……有营养。"

听着，听着，客人们就笑起来："小姐，每道菜总有它的特点吧？"

那位服务员是新来的，还是个小姑娘，她的脸涨得通红，不知说什么好。

"我来给你们介绍吧！"马小跳走到那张桌子旁边，指着那盘红烧穿山甲，"这穿山甲是国家二级保护动物。"

客人们的神色有些不对了。马小跳不动声色，指着那盘干煸蛙腿，继续介绍道："这青蛙是消灭害虫的能手。"

马小跳又指着那盘黄焖果子狸："这果子狸的身上有一种可怕的病毒……"

听了马小跳的介绍，谁还吃得下这一桌子的菜？刚才还嚷着叫服务员介绍野味菜特点的先生，从包里摸出几张钞票，扔在桌子上，带着那一桌的人走了出去。

"发生什么事了？"

其他的客人们虽然不知道发生了什么事情，但看到面对一桌子色香味俱全的野味菜，未动一筷子就走人了，谁还能吃得下自己桌子上的菜。那都是一样的菜啊！

顾客们纷纷放下碗筷，扔下钞票，像逃一样地逃出那家著名的野味餐厅。

不一会儿，这家人气很旺的野味餐厅便空空如也。

"怪了，怎么会有这样的怪事？"餐厅的老板叫服务员们站成一排，训斥她们，"刚才最先走的那一桌人，是谁负责服务的？"

"是我。"

那个新来的小姑娘站了出来，她低着头，不敢看老板。

"你说，那桌人为什么要走？"

"是一个小孩在这里捣乱。"

老板说："我一直坐在收银台那里，我怎么没见有小孩在捣乱？"

"不……不是捣乱，他对那些客人说了一些话。"

"什么话？"

"我不敢说。"

"我叫你说你就说！"

"他说，穿山甲是国家二级保护动物，青蛙是消灭害虫的能手，果子狸身上有一种可怕的病毒……"

听小姑娘这么一说，服务员们都不安起来。

"原来穿山甲是国家二级保护动物呀！"

"果子狸身上的病毒，会不会传染给我们？"

"瞎说什么？小孩子胡说八道，你们也相信？"老板问那小姑娘，"那小孩子呢？"

"早走了。"

这时候，马小跳正坐在另一家野味餐厅里，一页一页地翻看菜谱。一位漂亮的服务员小姐毕恭毕敬地站在他的身边。

"小朋友，我们这个野味餐厅是品种最齐全的野味餐厅，天上飞的、地上跑的、水里游的，全都有。你想吃什么？"

"真的都有？"马小跳做出不相信的样子，"我能看

看吗?"

漂亮的服务员小姐把马小跳带进厨房旁边的一间小屋子里,里面有许多铁笼子,笼子里都关着动物。

漂亮的服务员小姐十分热情,像个动物解说员。

"我先给你介绍天上飞的。这是白鹤,这是山鸡。"

白鹤的羽毛洁白,山鸡的羽毛鲜艳,它们都应该在天上自由而美丽地飞翔,现在却被残酷地关在笼子里,即将成为人们餐桌上的一道菜。

"我一定要让它们重新飞上天!"马小跳在心里发誓。

"我再给你介绍地上跑的。这是穿山甲,这是果子狸,这是……"

"等一下。"马小跳打断服务员小姐的话,"我好像听见有小娃娃的叫声。"

"哦,是娃娃鱼。"

"娃娃鱼?你们这儿还有娃娃鱼?"

"对,我们有啊!"服务员小姐走到一个水池边,"你过来看!"

马小跳走过去一看：好大的一条娃娃鱼，伏在水池边，发出凄惨的、像娃娃哭一样的叫声。

娃娃鱼可是我们国家的珍稀动物啊！

马小跳掏出相机来，这是一个十分小巧的数码相机。

漂亮的服务员小姐警惕起来："你要干什么？"

"我从来没有见过娃娃鱼，我给它拍一张照。"

"不能拍！不能拍！"

服务员小姐去抢马小跳的相机。马小跳东躲西闪，不仅把娃娃鱼拍下来了，还把白鹤拍下来了，把这小屋子里所有的动物都拍下来了。

放生娃娃鱼

"快，快抢下他的相机！"

这家野味餐厅的人全体出动，对马小跳围追堵截。

"跳跳娃！"

在外面接应马小跳的小非洲及时出现了。马小跳把手中的数码相机一扔，就扔到了小非洲的手中。

"逮住那小子！"

餐厅里的人撇下了马小跳，都追小非洲去了。

马小跳回到那间屋子里，打开关白鹤和山鸡的笼

子。

"飞吧！你们自由了！"

白鹤迈着又长又细的腿，山鸡扑腾着翅膀，争先恐后地从笼子里跑出来，展翅飞向星星闪烁的夜空。

马小跳打开所有的笼子，穿山甲、果子狸，还有一些马小跳不认识的动物都跑出来了，那后园还有一道后门，有一条直接通向山上的通道。

马小跳打开后门，动物们都逃上了山。

马小跳正要从后门逃出去，这时，他听见了娃娃鱼像婴儿一样的哭声。

"哇！哇！哇……"

忘记救娃娃鱼啦！

马小跳返身又回到那间关动物的屋子里，从水池里抱出娃娃鱼，从后门逃了出去。

餐厅里的人还没有回来，不知道他们逮住小非洲了

没有？

马小跳很想去找小非洲，又很想放生娃娃鱼。此时此刻，小非洲和娃娃鱼谁更重要？当然娃娃鱼更重要。娃娃鱼是世界上数量很少很少的珍稀动物，死一只少一只。而小非洲，就算那些人把他逮住了，也不敢把他怎么样，最多把数码相机抢了去。

娃娃鱼有生命危险，小非洲没有生命危险，所以马小跳要先救娃娃鱼。

只要找到一条山溪，就可以放生娃娃鱼。山里到处都有山溪，只是天黑看不见，只能凭耳朵去听。

哗！哗！哗……

马小跳听见了流水声，他高兴地抱着娃娃鱼向有水声的地方跑去。

夜色中，马小跳看不见那条山溪是什么样子的，但听它清脆的流水声，他高兴地可以想象出这是一条比较大的山溪。

这就是娃娃鱼的家。

马小跳把娃娃鱼放到小溪里，随即听到了娃娃鱼在水里扑腾的声音。

"走吧，走得越远越好！"马小跳在心里为娃娃鱼祈祷，"千万不要再被人捉住。"

马小跳不敢再从原路返回，他怕遇见那家野味餐厅

的人，他们肯定饶不了他。

　　终于找到一条下山的石板路，没走多久，马小跳看下面有星星点点的灯光——他又回到村子里来了。

　　马小跳要先去小非洲家，看小非洲回来了没有。

　　小非洲早就回家了。那些追他的人哪里有他跑得快？所以他人完好无损，马小跳的数码相机也完好无损。回到家里，稀里哗啦地吃了三碗汤泡饭，倒头便睡。这会儿睡得正香呢！

　　砰！砰！砰！

　　马小跳去拍小非洲家的门。

　　"谁呀？"小非洲的妈妈来开门，"是跳跳娃啊！小非洲已经睡下了，明天再来找他玩吧！"

　　马小跳放心了，小非洲肯定没事，相机也没事，真的有事，小非洲还睡得着吗？

　　第二天一早，马小跳还在睡觉，小非洲就来了。

　　"跳跳娃，快走！我们去看活埋果子狸。"

　　"活埋果子狸？"马小跳好不容易睁开了眼睛，"谁要活埋果子狸？"

小非洲说:"昨天,你大闹野味餐厅,现在好多人都知道果子狸身上有病毒,会传染人,所以餐厅里的人都要把果子狸弄到山上去活埋。"

"我要打电话问一问,是不是身上带有病毒的动物,就必须要消灭它们?"

小非洲问:"你打电话问谁去?"

"我老爸有个朋友是很权威的动物学家,我先给我老爸打电话,让他问去。"

马小跳拨通了他爸爸的电话,他爸爸让他等着,十分钟以后,给他答复。

洗脸、刷牙、吃早饭,刚好十分钟,电话铃就响了。

是马小跳的爸爸打过来的。

"那动物学家怎么说?"

小非洲恨不得把他的耳朵也贴在听筒上。

"我爸爸去问了动物学家。动物学家说,果子狸是野生动物,只要人们不接近它们,它们不会把身上的病毒传染给人类。所以,不仅不能消灭果子狸、活埋果子

狸，还应该把它们放回大自然。"

"我们快走吧！"小非洲催促道，"去晚了，那些果子狸就全被活埋了。"

马小跳和小非洲冲出家门，大黄狗悄悄跟在他们后面。它有些日子没管闲事了，它是一只闲不住的狗，无论如何，它今天得找点事干干。

小非洲带着马小跳上了一条狭窄的山道，他们要抄近路，去拦截那些准备活埋果子狸的人。

"汪！汪！汪汪汪！"

大黄狗突然叫起来，站在一个地方不走了。

马小跳和小非洲回头一看，大吃一惊。

"大黄狗怎么跟来了？"

"它在叫什么？"马小跳对大黄狗喊道，"快跟上！"

大黄狗不动，站在那里叫得更厉害了。

"跳跳娃，大黄狗一定发现什么了！"

小非洲和马小跳向大黄狗跑去。

大黄狗到底发现了什么？

追踪果子狸

大黄狗飞快地刨着脚下的土。

刨着刨着，土里露出一张花脸来：白鼻梁，一双像黑弹球一样的大眼睛，正惊恐地望着大黄狗。

"果子狸!"小非洲拍拍大黄狗的脑袋，"刨呀，快刨呀!"

大黄狗拼命地刨起来。

一只，两只，三只……一共有六只!

六只果子狸从土坑里被刨出来了，眨眼间，便跑得

无影无踪。

这六只果子狸就是刚被人活埋的。马小跳和小非洲都感到十分庆幸："幸好我们来得及时，不然这几只果子狸就没命了。"

"大黄狗，给你记一功！"马小跳摸了摸大黄狗背上的毛，"去，继续搜！"

得到小主人的命令，大黄狗浑身是劲，四处搜寻起来。

"汪！汪！汪！"

大黄狗叫起来，它又发现了新情况。

马小跳和小非洲朝大黄狗跑去。

这一次，大黄狗刨出了四只被活埋的果子狸，它们奄奄一息，已经不能跑了。

"它们快死了。"马小跳很着急，"小非洲，你知道怎么抢救它们吗？"

"不用抢救！"小非洲说，"它们是被憋的，呼吸呼吸这山里的空气，过一会儿就好啦。"

他们带着大黄狗继续向前搜索，又救出几只被活埋的果子狸。

看太阳已经在头顶上了，马小跳的肚子咕咕地叫了起来，该回去吃午饭了。

马小跳和小非洲带着大黄狗下了山，回到村子里。在分手时，小非洲问马小跳："下午，我们玩什么？"

马小跳还没有回答，大黄狗就叫了一声，它的意思是下午玩的时候，别把它忘了。

"下午，我们就来和大黄狗捉迷藏，把村子里的小孩子都叫来，两点钟在老银杏那里准时集合。"

老银杏是村子里最大的一棵银杏树，据说有上千年

的历史了。夏天的树叶，像一把把绿色的小扇子；秋天的树叶，像一把把金色的小扇子。老树下，是村子里孩子们最爱玩的地方。

要说玩，马小跳比谁都积极，只会早到，绝不会迟到。

还不到两点钟，马小跳就牵着大黄狗，来到老银杏树下。等了好一会儿，才稀稀拉拉地来了七八个小孩。

"跳跳娃，你说怎么玩？"

"我们来跟大黄狗玩捉迷藏。"马小跳说，"让大黄狗先嗅你们身上的气味，再把它的眼睛蒙起来，给你们十分钟的时间，找好藏身的地方。十分钟过后，我就放大黄狗来找你们。"

七八个小孩站成一排，让大黄狗嗅。

大黄狗嗅得十分仔细，从脚往上嗅，一直嗅到它够不着的地方。

"好，等我把大黄狗的眼睛蒙上，你们就跑。"

马小跳拿一块黑布条蒙上大黄狗的眼睛，孩子们朝四面八方跑去。

十分钟过后，马小跳解开蒙着大黄狗眼睛的黑布条，大黄狗撒腿就跑。

大黄狗跑到一口井边，大叫起来。

"汪！汪！汪！"

难道有人掉进井里了？

马小跳趴在井口，向下看，原来这是一口枯井，小非洲正蹲在井底下。

"小非洲，快上来吧！"

虽然是口枯井，井口上还架着辘轳，马小跳放下绳子，费了好大的劲，才把小非洲摇上来。

"唉，好不容易爬下去，刚蹲下来，就被发现了。"小非洲觉得很没面子，"大黄狗也太厉害了，这么深的井底，它也能嗅出我的味道。"

马小跳说："你整天跟我在一起，你身上的汗臭味，它早就闻惯了。不要说你在井底，你就是在海底，它也能够把你找出来。

大黄狗又跑了，马小跳和小非洲紧跟在它的后面。

大黄狗直奔大荷塘。荷塘里开满了荷花，大片大片

暑假奇遇

的荷叶铺满了水面。

"汪！汪！汪！"

除了亮晶晶的水珠在荷叶上滚来滚去，这里一点儿动静都没有。

"汪！汪！汪！"

大黄狗执着地叫着，显然这里藏着人。

大黄狗奋不顾身地就要往水里跳，马小跳拦住它，面向荷塘喊道："出来吧，大黄狗已经发现你了。"

哗哗的一阵水声，麦冬游过来了。原来他头顶一片荷叶，藏身在水里呢。

"我以为藏在水里，大黄狗就闻不到我的气味了。"

麦冬上了岸，脱下湿淋淋的裤衩，光着屁股跑到一块大石头下面，找出他藏在那里的衣服裤子穿上。

大黄狗又跑了，马小跳、小非洲和麦冬紧跟在它的后面。

大黄狗朝糊涂爷的玉米地跑去。

糊涂爷刚睡醒，正一边喝茶一边唱戏。

"锵锵！锵锵！锵锵！锵！"糊涂爷看见了大黄狗，

就把大黄狗编进了唱词里，"看那大黄狗飞奔而来，咿呀咿……"

"汪！汪！汪！"

大黄狗对糊涂爷叫了几声，因为他挡住了小木屋的门。

糊涂爷朝大黄狗摆摆手："谷雨说他没藏在里面。"

不说还不知道。

马小跳说："此地无银三百两。"

麦冬说："谷雨肯定在里面。"

大黄狗冲进去了，咬住一个男孩的裤脚，拼命地往外拖。一看，正是谷雨。

糊涂爷还在犯糊涂："谷雨，不要怪我，我可没对大黄狗说你在里面。"

跟在大黄狗后面的队伍越来越庞大。大黄狗斗志昂扬，跑了几步，又叫起来。

"这是木瓜的家。"小非洲说，"这木瓜太不会找地方了，怎么藏到自己家里来了？"

木瓜家的门紧闭着。

大黄狗叫得更厉害了，还疯狂地扑着门。

墙头上，露出一个鬈毛脑袋，那是木瓜的妈妈。

"嘿，你们要干什么？"

木瓜妈妈的声音又尖又细，像划玻璃的声音那样刺耳。

"我们在捉迷藏，你开开门，让我们进去吧！"

"不行！"木瓜妈妈的脸色大变，"你们快走吧！"

马小跳他们觉得很奇怪：在村子里，很少有大白天这样关着门的，木瓜妈妈为什么不让他们进去？她的神情为什么那样紧张？

小房子里的罪恶

"汪！汪！汪！"

大黄狗更加疯狂地扑着门，门还是不开。

"难道木瓜不在里面？"

"不会不在。"马小跳说，"如果不在，大黄狗不会这么叫的。"

大黄狗不停地叫，看它那执着的样子，不叫开门，它誓不罢休。

门吱的一声开了，木瓜妈妈竖着两条细细的眉毛：

"你们到底想干什么？"

小非洲说："想找木瓜。"

"木瓜不在。"

"他在。"马小跳说，"大黄狗闻过他身上的气味。"

"我说不在就不在。"

大黄狗趁木瓜妈妈在对付马小跳的时候，嗖地蹿了进去。

"出去！出去！"

木瓜妈妈尖声地叫着去追赶大黄狗。

"汪！汪！汪！"

大黄狗咬着木瓜的裤子，把他拖了出来。

木瓜穿的是松紧腰带的短裤，被大黄狗拉扯着，大半个屁股都露在外面。

"你们说，木瓜的屁股像不像大木瓜？"

几个男孩子笑歪

了嘴巴。木瓜羞红了脸，用手捂着屁股。

大黄狗放开木瓜，转身又朝木瓜家跑去。

木瓜家的门，又紧紧地关上了。

"回来！大黄狗，回来！"

大黄狗根本不理睬马小跳的呼唤，勇猛地扑抓着木瓜家的门。

"奇怪！"小非洲搞不懂了，"这大黄狗是不是疯了？"

"木瓜，你们家里……"

"没有没有。"

木瓜的样子十分紧张，还没等马小跳把话讲完，就打断了他的话。

小非洲把嘴巴凑到马小跳的耳边，悄声说："我怀疑他们家藏有果子狸。"

马小跳要给木瓜来个措手不及："木瓜，我知道你们家有果子狸。"

"没有。"傻傻的木瓜上当了，"有果子狸怕什么？"

木瓜说的没错，就算他们家有果子狸，也不用怕成

这样。但木瓜的样子，真的是又紧张又害怕，他们家会不会藏着比果子狸更可怕的东西？

马小跳一定要弄个水落石出。

大黄狗不跟他们玩捉迷藏了，一门心思地要进木瓜的家。马小跳让麦冬和谷雨去找那几个不知藏在什么地方的孩子，告诉他们今天不玩捉迷藏了。

马小跳对木瓜说："你也回家去吧！"

木瓜不动："你们不回去，我也不回去。"

马小跳就去叫大黄狗回来。大黄狗不听，马小跳拖着它的项圈，小非洲推着它的屁股，硬把它拉走了。

但马小跳他们没有真的回家，他们跑到糊涂爷的小木屋里。从小木屋的窗口，正好可以看见木瓜的家。

木瓜到了家门口，并没有马上进去。他回头张望了好一会儿，确定马小跳他们已经走远了，才用钥匙打开门，一进去又把门紧紧地关上了。

"有问题，木瓜他们家肯定有问题。"小非洲指着远处的一个山坡，"在那里可以看到木瓜家的院子里，只是距离太远，可能看不清楚。"

马小跳胸有成竹地说:"放心吧,我有办法。"

马小跳这次回爷爷奶奶家过暑假,装备齐全,凡是有关玩的东西,该带的都带来了。

马小跳回家去拿了望远镜,和小非洲一起来到山坡上。山坡上绿树葱郁,十分隐蔽。小非洲又用树枝做了两顶伪装帽,一人戴一顶,就更加隐蔽了。

马小跳举着望远镜,对准木瓜家的院子在调焦距。

小非洲在一旁等不及了:"我看看!我看看!"

"别出声,有动静!"

木瓜家的院子中央有一座漂亮的二层楼房,后院栽着一大片竹林,在竹林中还有一座用烂砖头修的房子,没有窗户,只有一道又窄又小的

门。一个满脸横肉的男人从那门里进进出出。但他每次进出，都会十分小心地把门关上。

马小跳把望远镜递给小非洲。小非洲一看，就很惊讶："木瓜家里怎么会有这样一座烂房子，从来没听木瓜说过。"

马小跳问小非洲，那个进进出出的人是谁？小非洲说是木瓜的爸爸。

"哇，还有一个人！"

马小跳抢过望远镜：一个尖嘴猴腮的小个子男人从烂砖房里出来了。

"这个人是谁？"

"不认识。"小非洲说，"这个人不是我们村里的。"

过了一会儿，小个子男人又回来了。他推开门，里面有很亮的灯光。这次，小个子男人忘记关门了，只见从门口能看见的那块地上，人影晃动，大概有三四个人，可以想象出里面忙碌的景象。

马小跳和小非洲轮流用望远镜看着。

"小非洲，你说他们在干什么？"

"肯定在干坏事。"

"怪不得大黄狗不肯离开他们家。刚才小木瓜肯定就藏在这烂砖房附近，大黄狗进去找他的时候，发现了这座小房子，而且或许还闻到了什么可疑的气味。小非洲，我们来猜一猜，这小房子里到底有什么秘密。"

"我看见了！我看见了！"

小非洲叫起来。马小跳从他手中抢过望远镜，一看，那小房子的小门已经关上了。

"小非洲，你看见什么了？"

"我看他们在捆一个黑咕隆咚的东西。"

"那个黑咕隆咚的东西是什么？"

"好像……好像是大黑熊。"

"大黑熊？"马小跳呼地站起身来，"你看清楚没有？"

小非洲点点头，又摇摇头："有点清楚，又有点不清楚。

"我们得赶快去报警！"

马小跳宁愿小非洲看清楚了，拉着小非洲就跑。

抢救大黑熊

马小跳和小非洲去打 110 报警。

"警察叔叔，你们快来呀，有一头黑熊被关在一座小房子里。"

"在什么地方？我们马上赶到。"

"在望龙村，我们在村口那条龙下面等你们。"

撂下电话，马小跳和小非洲飞跑到村口。村口有一条飞龙的雕塑，龙的嘴里，一年四季都吐着一股水。每一个进村的人，都会首先看到这条飞龙。

小非洲骑在飞龙的身上，向远处眺望。

"来了！来了！来了四个骑摩托车的警察。"

这时，马小跳已听见了摩托车的轰鸣声，轰鸣声越来越近，越来越近。

"警察叔叔！"

摩托车一下停在他们跟前。

"小朋友，快上来给我们带路！"

马小跳跳上第一辆摩托车，抱住开摩托车的警察的腰，指点着摩托车向木瓜家驶去。

"警察叔叔，我先带你们去一个地方，在那里用望远镜能看到那座小房子。"

马小跳把警察带到那个山坡上，把他的望远镜递给警察叔叔。

警察举着望远镜看了一会儿，脸上的表情越来越严肃。他把望远镜还给马小跳，掏出手枪："准备行动！"

　　警察们举着手枪，以迅雷不及掩耳之势，冲进了木瓜家。

　　等马小跳和小非洲赶到木瓜家的时候，警察们正押着三个神情沮丧的男人走出来。其中有木瓜的爸爸，有那个尖嘴猴腮的小个子男人，还有一个光头男人是他们刚才没见过的。

　　有一个警察正在打手机，请求黑熊救护中心赶快派医生来，说有一头被囚禁了十一年的黑熊需要抢救。

　　黑熊救护中心是一个慈善机构，它是由亚洲动物基金会和望龙野生动物保护协会共同组建的。黑熊救护中心的医生都是外国人，他们都是保护野生动物的志愿者。

　　黑熊救护中心离这里有三十公里的路程，警察们一边等救护人员的到来，一边审问木瓜的爸爸。

　　木瓜的爸爸交代说，这头大黑熊被囚禁时才几个月大，十一年来一直被关在那座烂砖房的铁笼子里，不见天日，每个月还要被野蛮地提取胆汁两次。

　　就因为熊的胆汁可以做药，可以卖钱，所以那些贪

得无厌的人，才这么惨无人道地对待一头熊。

半个小时过后，黑熊救护中心的救护车来了，从车上下来七八个穿白大褂的人。带头的是一个披着金色头发的漂亮女医生，她指挥那些人从车上搬下一个巨大的特制担架，还有很多医疗设备。

金发女医生叫罗琳，她来到中国给黑熊治病已经有几年的时间了，所以她会说一口流利的中国话。

"黑熊在哪里？"

马小跳蹦到罗琳医生跟前："我带你去！"

罗琳医生有点吃惊地看着马小跳。也许她不明白，警察中间怎么会有一个孩子？

一个警察对罗琳医生说："就是他给我们报的警。"

"噢，你真了不起！"罗琳医生在马小跳的额头上吻了一下，"请给我带路吧！"

马小跳带着罗琳医生一行人来到烂砖房那里，推开那窄小的门，便闻到一股令人恶心的腐烂的味道。

关在笼子里的黑熊，一见有生人来，便用身体猛撞铁笼，绝望地咆哮着。

"宝贝，别怕！"罗琳医生亲切地微笑着，一边做着安抚的手势，一边一步一步地走近黑熊，"我们是来救你的。"

罗琳医生对黑熊说了好多安慰的话，黑熊慢慢地安静下来了。

一位救护人员把一桶切成块的苹果、菠萝拿去喂黑

熊，黑熊吃得十分费力，因为它的牙齿已经全烂掉了。

黑熊安静而又专注地吃着苹果。时机到了，罗琳医生的一位女助手拿着顶端装有麻醉针头的长针管，悄悄靠近黑熊，趁它不注意，一下子刺了进去。

二十分钟以后，黑熊沉沉睡去。救护人员打开铁笼，把黑熊挪到那个巨大的担架上，抬了出来。

罗琳医生戴上橡皮手套，开始给黑熊做全面检查。

马小跳蹲在罗琳医生的身边，有个救护人员想请他出去，被罗琳医生阻止了。

"让他在这里看吧！"罗琳医生说，"将来他会成为一个像我们一样的志愿者。"

这头大黑熊遍体鳞伤。每检查一处伤势，罗琳医生都会向马小跳详细解说。

"你看它这几颗大牙，本来应该有几厘米长，因为长期啃咬铁笼磨损严重，现在全部化脓了。"

黑熊的口腔里恶臭熏天，漂亮的女医生不怕脏、不怕臭，用镊子一点一点地清理黑熊牙缝里的脓污。

"你看它的两条后腿已经严重萎缩，这是它被长期

关在笼子里不能活动的结果。"

马小跳问罗琳医生，黑熊浑身的伤是怎么来的？

罗琳医生说："黑熊长期被囚禁在笼中，不见天日，又不能活动，所以脾气非常暴躁，经常用身体去撞击铁笼，所以伤口就感染发炎了。"

罗琳医生让女助手给黑熊打几针消炎镇痛的药，说黑熊醒来，会减轻它身上的痛苦。

趁黑熊还没有清醒过来，罗琳医生要把黑熊带回救护中心，继续治疗。

罗琳医生在和马小跳告别。她握着他的手："马小跳，我很喜欢你，你是个勇敢的、有爱心的孩子。我希望中国的孩子都像你一样热爱动物，你们长大以后，就不会再有人像这样残忍地折磨动物了。"

罗琳医生说，她有一个礼物要送给马小跳。她从车上抱下来一只几乎有一米高的黑绒熊，说："这是我们救护中心特制的纪念品，专门送给那些热心救助黑熊的人。欢迎你到我们救护中心来参观，有近一百头被解救的黑熊正在那里接受治疗。"

载着黑熊的白色救护车开走了。

天快黑了，马小跳抱着黑绒熊，向爷爷奶奶家走去。一路上，他感到很心酸，心酸就是想哭又哭不出来的感觉。人怎么可以那样残忍？在马小跳的脑海里，全是黑熊、黑熊，饱受折磨的黑熊……

马小跳刚进爷爷奶奶家的院门，就见院子里停着一辆改装得像玩具车一样的越野车，这是他爸爸马天笑先生的车——爸爸来了！

"马小跳，你也该收收心了。"

马小跳问他爸爸："你来干什么？"

"我来干什么？我来接你回去。你忘了，后天就开学了。我们明天一早就走。"

后天就开学了？一个暑假就这么过完了？

真的过完了。精彩的日子、快乐的日子，总是过得很快，就像坐火车看外面的风景，转眼即逝。

附录
Fulu

TAOQIBAO MAOTIAO

淘气包马小跳

系列 典藏版

关于老师

采访人：乔世华（辽宁师范大学文学院副教授）　　受访人：杨红樱

Q1　读了《暑假奇遇》，小朋友该羡慕了，马小跳的暑假生活多么精彩啊！他要写作文，不愁没写的。可是现实中的很多孩子，在暑假里最大的烦恼就是写作文。您当过语文老师，而且作文课上得特别好，您说作文怎么会成为孩子们的烦恼呢？

杨红樱　如果没有米，却要让你做出一锅饭来，那肯定是烦恼。同样的，他写作文写什么呢？我们的孩子在暑假里要做暑假作业，还要上不止一个补习班，上完补习班还要做补习班布置的作业，日复一日，每天的日子都是这么过的。

单调枯燥的生活，怎么能成为作文的内容呢？这跟无米下锅的烦恼是一样的。

Q2　可我们很多家长认为孩子写不出作文，是因为不会写，是因为训练不够，于是，他们给孩子报作文补习班，给孩子买很多的作文书，您认为这么做有用吗？

杨红樱 　我觉得去作文补习班可能会学到很多的技巧，看作文书也可以学习模仿，但仅靠这些也很难写出有真情实感的好作文。我看一篇作文好不好，不是看它的遣词造句有多么的华丽，也不是看它谋篇布局有多么精巧，而是看这篇作文能不能感动我，有没有真情实感。

Q₃ 　您女儿读小学那会儿，您是怎么指导她的作文的？

杨红樱 　我不会去指导她怎么写作文，因为我是内行。其实作文"怎么写"，老师在课堂上讲的已经足够，关键是"写什么"，首先要解决"有米下锅"的问题。女儿在读一二年级时，我和她一起种了一盆土豆，每天和她一起观察这盆土豆，发现每天都有变化，当然，每天的心情也不一样。在土豆生长期间，女儿每天都写观察日记，把看到的和想到的写下来。到土豆成熟时，女儿写了一篇作文《我种的土豆丰收了》，发表在《成都晚报》。

Q₄ 　您女儿还发表过一篇作文《哭泣的荒山》，其中对被烧毁的山林的描写，触目惊心，给人一种身临其境的感觉。这篇作文的"米"是怎么得来的？

杨红樱 　女儿的每个寒暑假，我都会带她去旅行，旅行不仅长见识，还可以积累作文的素材。在六年级的那个

寒假，即将参加毕业考试的毕业生们都忙着去读父母为他们报的补习班，我却带着女儿去了稻城，途经大雪山、小雪山，见到了一大片被烧毁的山林，女儿连夜写下了这篇作文《哭泣的荒山》。

Q5 也就是说，如果家长真的想帮自己的孩子写好作文，最好的办法，就是给孩子创造一些发现素材、积累素材的机会，是这样吗？

杨红樱　对。但家长们不是很明白这个道理。记得几年前的一个暑假，成都的一家媒体公开征集二十个孩子，跟我一起去看望住在儿童医院的白血病患儿。许多热线电话打进来，都是家长要求我在暑假里能够给孩子们上一次作文辅导课，他们认为像我这样做过语文老师、作品又深受孩子喜爱的作家，给孩子辅导辅导，孩子的作文水平一定会有立竿见影的进步。但我还是坚持带着征集来的二十个孩子去了儿童医院。当这些健康的孩子见到生命垂危、剃着光头的白血病患儿，突然醒悟到死亡原来离每个人都那么近，生命是那么可贵。而白血病患儿渴望活下去的那种坚强，深深地感动着这二十个孩子和他们的家长，他们和白血病患儿一起合唱《感恩的心》，都流下了激动的泪水。

结束的时候，我给那二十个孩子布置了作文题。常说文章是有感而发，有那么多的感动，还愁写不出来？

Q₆ 可想而知，这二十个孩子在探望白血病患儿过程中所收获的感动，不是在作文课上能收获的。写好作文的关键，还是心中要有感动，可是现在的孩子，为什么都不太容易感动？

杨红樱 有两方面的原因：一方面是现在的资讯太发达了，我们的孩子在电视上、电脑中见多识广，反而对现实生活的一切没感觉了，他们觉得太普通太平常了，没有惊喜，没有惊奇，心就慢慢地冷漠了；

另一方面，今天的孩子，身边围着一堆大人，得到的关爱太多了，他们觉得理所当然，心中没有感动，也没有感恩之情。这是孩子们写不出作文的症结所在。

Q₇ 其实"淘气包马小跳系列"写的都是孩子们身边平平常常的事，马小跳也不过是一个普普通通的孩子，为什么能让孩子们爱不释手，读得如痴如醉？

杨红樱 真正感动人的情节，不是写惊天动地的大事，也不是写顶天立地的伟人，而是日常生活中的平凡小事，身边的普通人，更能引起读者的共鸣，引起他们发自内心的真正的感动。

Q8 现在，很多语文老师也鼓励孩子们读您的作品，因为他们发现，孩子们读了您的作品后，作文也有了进步。您认为孩子们读您作品，最大的收获是什么？

杨红樱 有一位上海的小读者在给我的来信中写道——从您的作品中，我悟出了四条关于写作及生活的道理：1.语言文字不一定要华美，简单就好；2.文章叙述不一定要精细，流露真情就好；3.人物不一定要漂亮英俊，纯粹就好；4.在生活中，不一定要当第一，快乐幸福就好。您的作品就是用这样朴实并充满真情的语言，感动了我。

马小跳一直是我想写的一个儿童形象，可以说，他是我的理想，我在他身上寄予了太多东西：比如我的教育理想，家庭教育和学校教育的；我对当今教育现状的思考；我对童年的理解，对孩子天性的理解；这里还包括我做老师、做母亲的人生体验。我笔下的马小跳是一个真正的孩子，我想通过这个真正的孩子呈现出一个完整的童心世界。

——杨红樱

淘气包马小跳系列，是一套属于中国孩子的贴心成长读本，是父母和老师必读必阅的儿童内心世界的全记录，展露了真正的孩子和完整的童心。

淘气包马小跳系列，给孩子带去温暖、快乐和理解，给父母带去震撼、感动和反思，给社会带去正确健康的成长价值观。

马小跳是一面成长的镜子，是当代中国孩子的典型形象，是一个永远陪你长大的童年伙伴。

淘气包马小跳系列 典藏版

贪玩老爸

轰隆隆老师

笨女孩安琪儿

四个调皮蛋

同桌冤家

暑假奇遇

天真妈妈

漂亮女孩夏林果

丁克舅舅

宠物集中营

小大人丁文涛

疯丫头杜真子

寻找大熊猫

巨人的城堡

超级市长

跳跳电视台

开甲壳虫车的女校长

名叫牛皮的插班生

侦探小组在行动

小英雄和芭蕾公主

图书在版编目（CIP）数据

暑假奇遇/杨红樱著. --杭州:浙江少年儿童出版社，
2013.2

（淘气包马小跳系列　典藏版）

ISBN 978-7-5342-7316-2

Ⅰ.①暑… Ⅱ.①杨… Ⅲ.①儿童文学-中篇小说-中国-
当代 Ⅳ.①I287.45

中国版本图书馆 CIP 数据核字（2012）第 315021 号

淘气包马小跳系列　典藏版

暑假奇遇

杨红樱/著

责任编辑　王宜清

美术编辑　周翔飞

人物形象设计　冷洁

插图绘制　Today Studio

版式设计　艺诚文化

封面设计　千里马工作室　读趣良品

责任校对　沈鹏

责任印制　林百乐

浙江少年儿童出版社出版发行
地址：杭州市天目山路 40 号
杭州长命印刷有限公司印刷
全国各地新华书店经销
开本 830×1220　1/32
印张 5.375　插页 4
字数 71000
印数 1—100000
2013 年 2 月第 1 版
2013 年 2 月第 1 次印刷
ISBN 978-7-5342-7316-2
定价：16.00 元
（如有印装质量问题，影响阅读，请与承印厂联系调换）